워크북
03

치매예방을 위한 뇌훈련

실버인지놀이

(주)한국실버교육협회

머리말

고령화 사회로의 진입은 치매 등 각종 노인과 관련된 과제들을 양산하고 있다. 노년기에는 은퇴, 경제상황의 변화, 사회적 지위 변화, 신체적 노화, 가족관계의 변화, 질병 등 다양한 변화를 경험하게 된다. 이러한 변화를 수용하고 잘 적응하여 행복한 노년기를 보내는 것은 현대사회 모든 노인들의 소망이며, 이를 위한 노력은 우리가 고령화 사회를 대비하는 가장 기본적인 자세일 것이다.

알려진 바와 같이 치매는 안정되고 행복한 노년기를 보내는데 가장 방해가 되는 가장 큰 원인 중의 하나이다. 치매는 자신의 생활태도나 의지와 상관없이 걸리는 병이고, 불치의 병이라 생각하고 치료를 포기하기 쉽지만 치매도 노력에 의해 예방하거나 치료할 수 있다. 음식이나 운동뿐만 아니라 뇌를 자극하는 습관도 치매의 예방과 치료에 많은 도움이 됨이 많은 연구에서 확인되고 있지만, 주위에서 손쉽게 접할 수 있고 흥미 있는 노인용 뇌 자극, 뇌 훈련 전문 교재가 많지 않은 실정이다.

이에 이 교재는 노인들의 뇌를 자극하고 인지능력을 향상시켜 치매를 예방·치료하기 위한 목적으로 개발되었다. 집중력, 지남력, 기억력, 시공간력, 판단력 등의 영역에서 초급, 중급, 고급 단계로 나누어 체계적인 훈련이 가능하도록 하였고, 다양하고 창의적인 방식의 활동과 그림, 단어, 회상용 소재들을 선택하여 적용하여 노인의 흥미를 높이고자 하였다.

이 교재의 개발 및 보급이 치매예방뿐만 아니라 노인 한 분 한 분의 건강하고 즐거운 하루하루, 나아가 행복한 노년기를 보내시는데 기여하기를 희망하며..

저자 윤소영

목차

치매예방을 위한 뇌훈련

실버인지놀이

워크북
03

실버인지놀이
초급

★☆☆

그림 재료 찾기

왼쪽의 그림을 보고 어떤 재료로 그려진 그림인지 오른쪽에서 찾아 선으로 연결해 주세요.

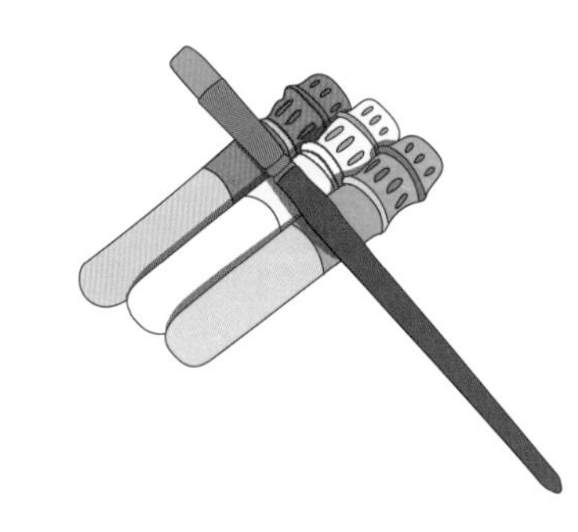

재활용품 분리수거

아래에 있는 재활용품들을 위의 분리수거함 중 어디에 넣으면 될지 선으로 연결해보세요.

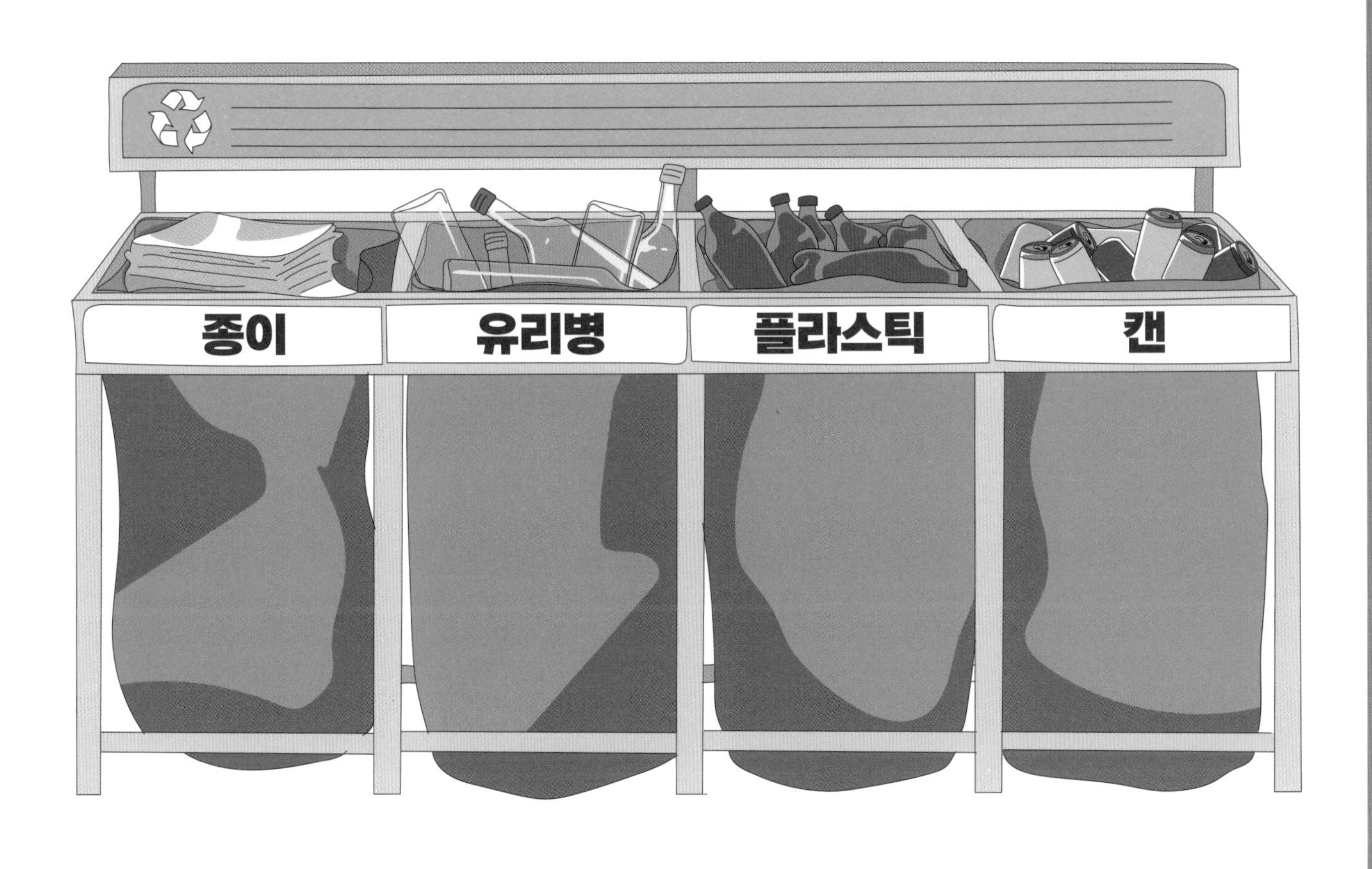

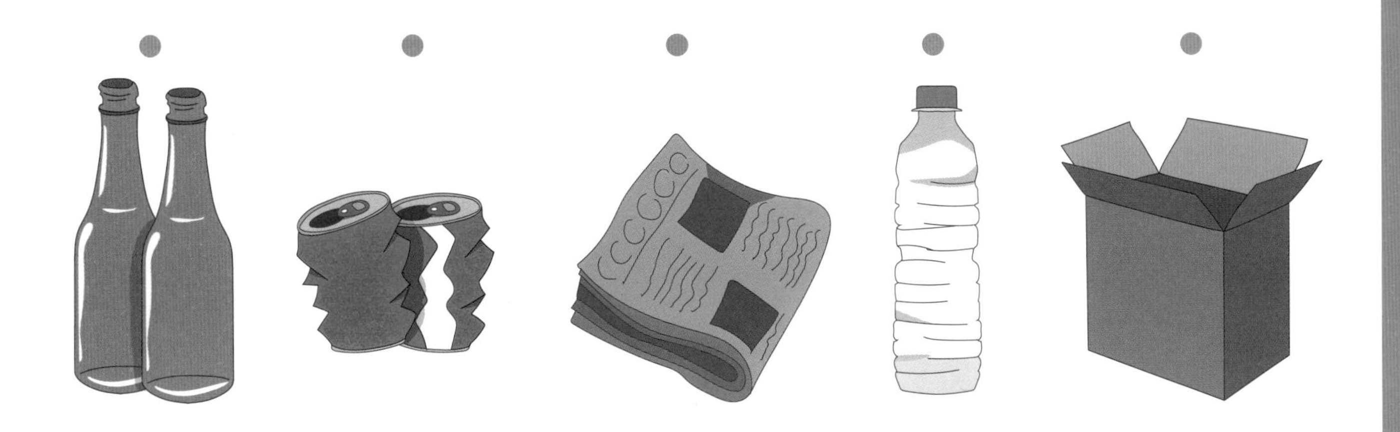

바닷속 생물들

1. 바닷속 그림에서 물고기나 어패류가 어떤 종류가 있는지 이름을 적어보세요.

2. 몇 마리씩 있는지 세어서 수 칸에 적어보세요

이름		수	이름		수

강아지 줄 연결하기

집중력

산책하던 강아지 목줄이 엉켜버렸습니다.
몇 번 강아지를 데리고 있었는지 목줄을 따라 찾아서 번호를 적어주세요.

추억의 먹거리

1. 여러 가지 추억의 간식 그림이 있습니다. 왼쪽 그림과 관련 있는 그림을 오른쪽 그림에서 찾아 선으로 연결해 주세요.
2. 간식과 관련한 추억을 이야기 해보세요.

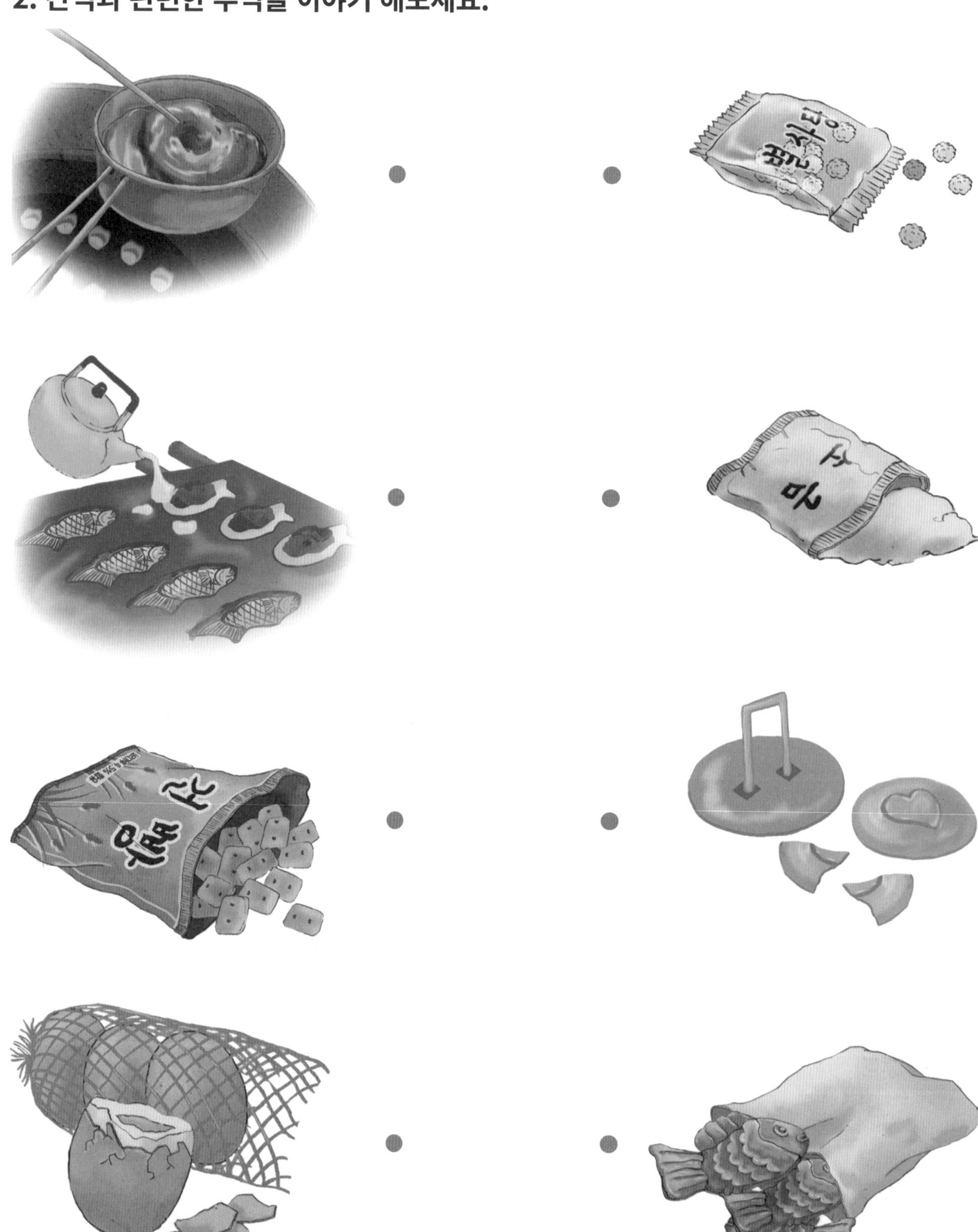

야채 그림자 찾기

1. 위의 그림자를 보고 아래에 있는 채소만 찾아서 ◯해주세요.

2. 그림자를 보고 어떤 채소인지 추측해보고 그림 아래에 적어주세요.

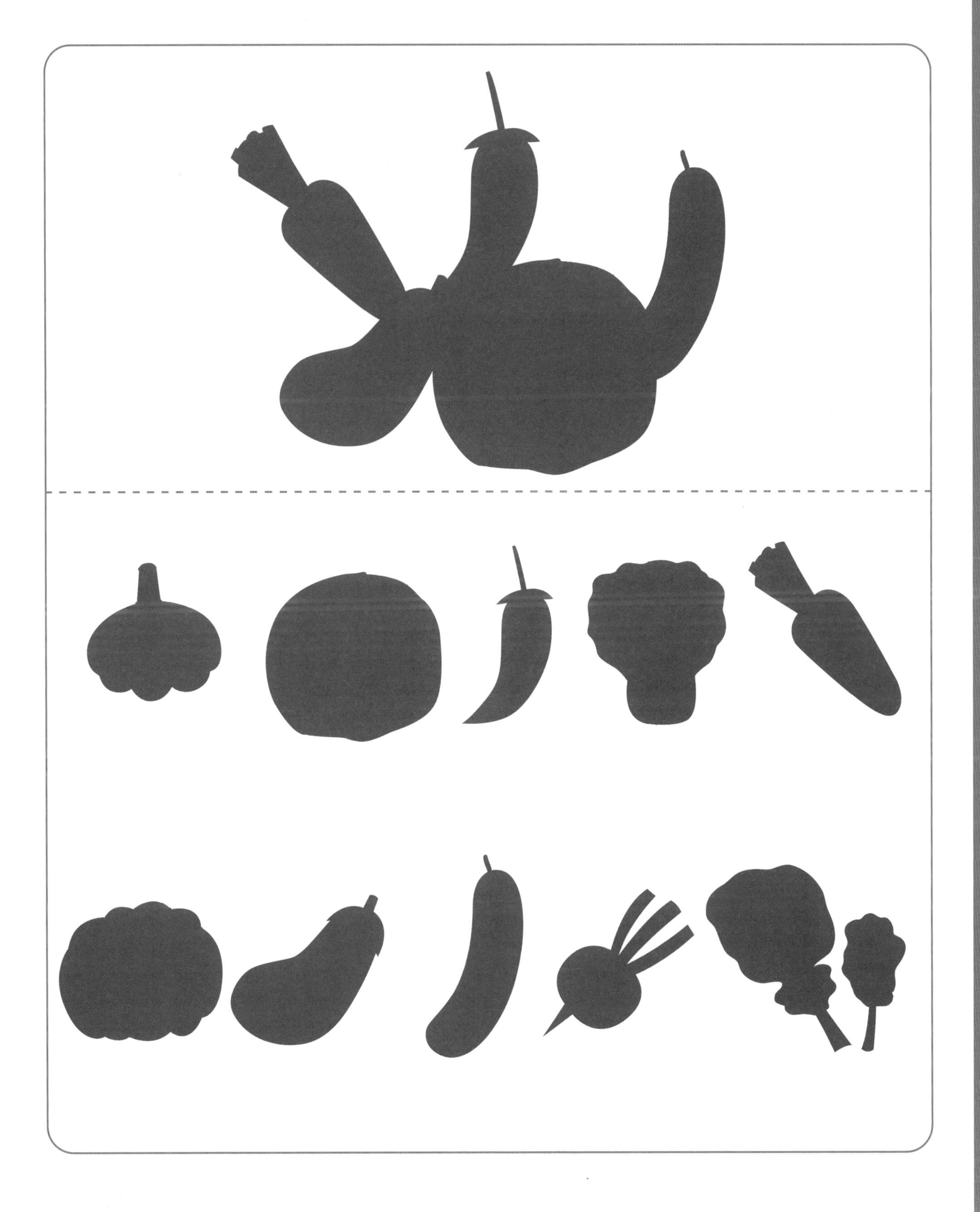

무엇을 더해야 할까요?

수계산력

위의 네모 칸 안의 숫자가 되게 하려면 아래 그림의 어느 그림 두 개를 합쳐야 할지 찾아서 번호에 ◯해주세요.

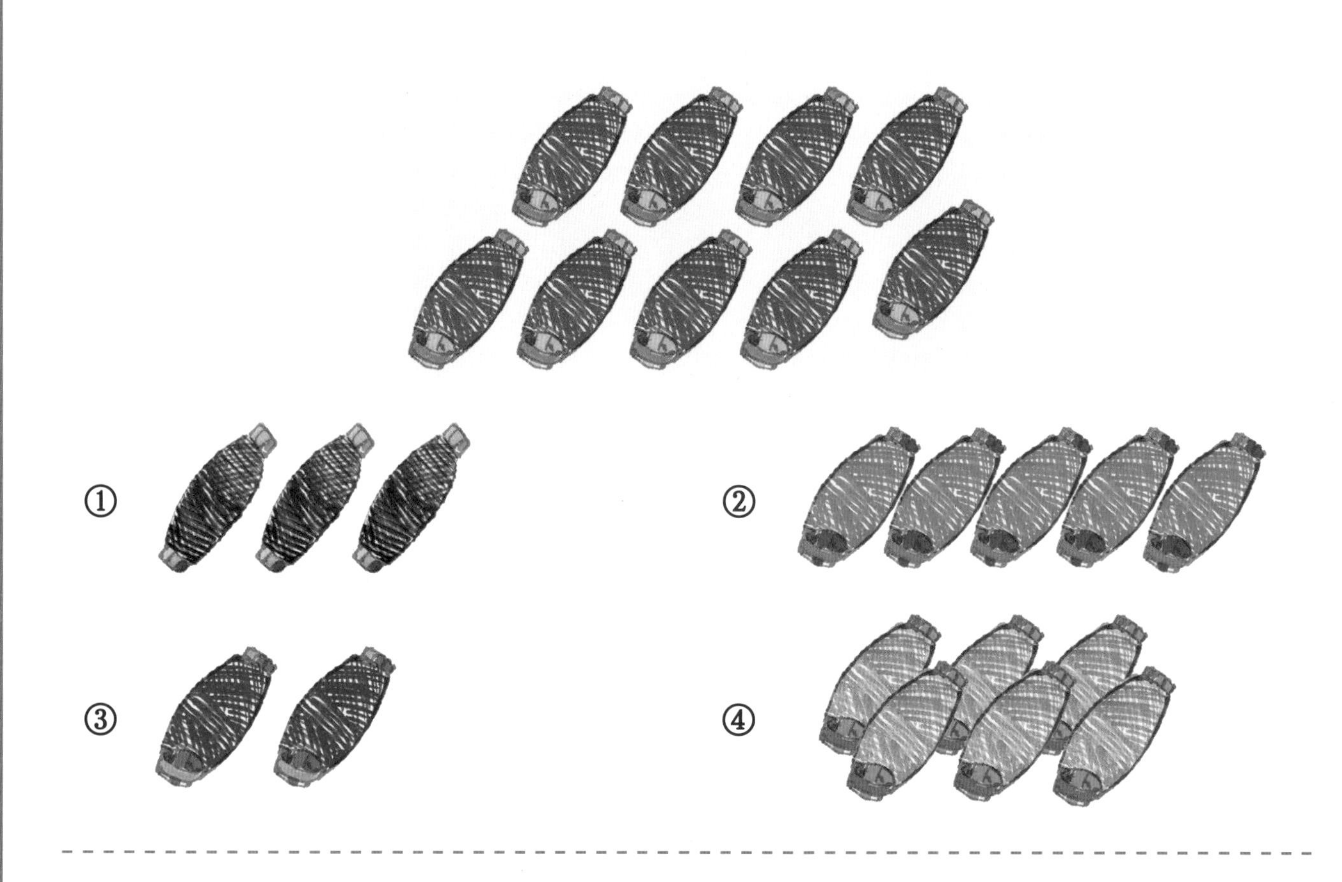

① 

② 

③ 

④ 

빈 그림 퍼즐 찾기

★☆☆
시공간력

아래 그림에는 퍼즐 모양의 조각들이 비어있어요. 어떤 조각을 채우면 그림이 완성될지 아래 퍼즐에서 찾아 선으로 연결해 주세요.

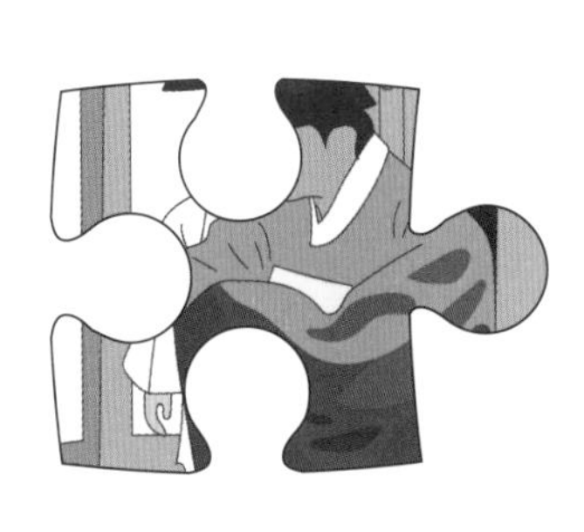
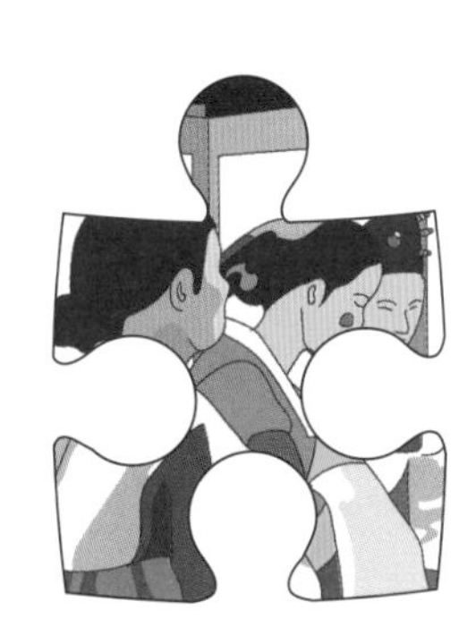
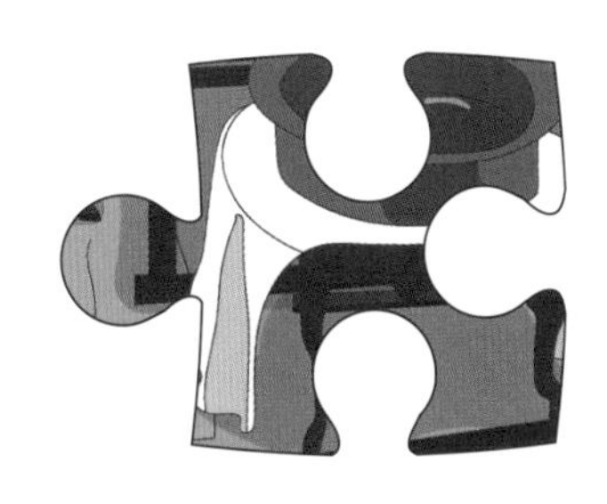
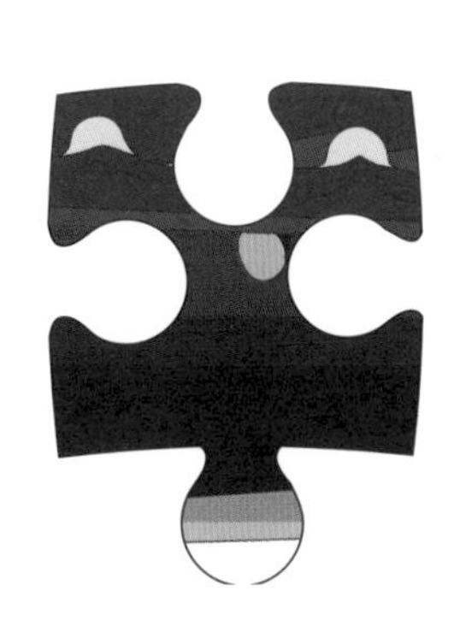

숫자 점으로 선 잇기

1. 1부터 순서대로 숫자를 따라 선으로 연결해 주세요.
2. 어떤 그림이 되는지 적어 보세요.
3. 선으로 연결된 그림 안쪽을 예쁘게 색칠해 보세요.

성장순서가 다른 것 찾기

보기와 같은 성장순서가 아닌 것을 골라서 번호에 ◯해주세요.

과일 재료 찾기

왼쪽 과일로 만들어진 것을 오른쪽 그림에서 찾아 선으로 연결해 보세요.
명칭을 하나씩 이야기해보거나 그림 아래에 적어보세요.

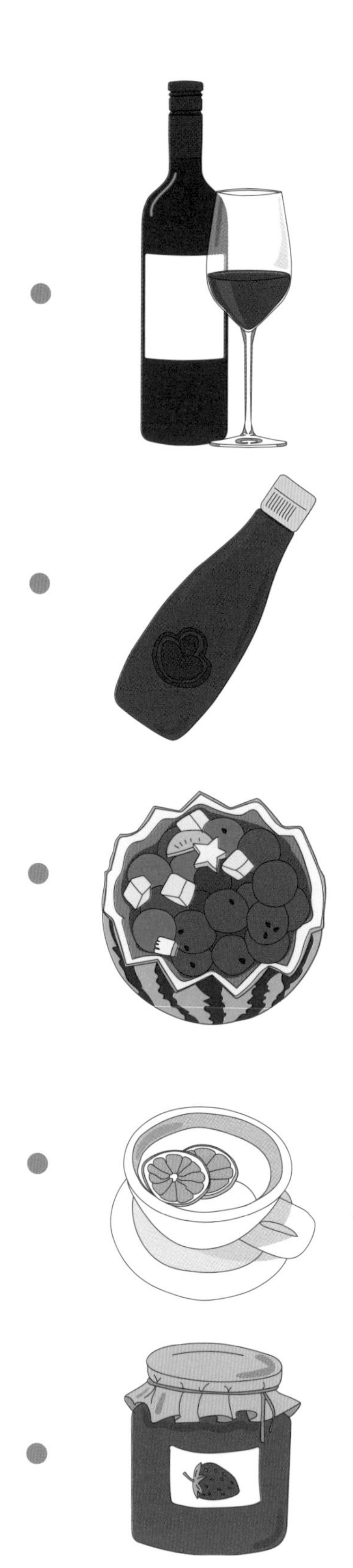

꽃다발 찾기

아래에 적혀있는 것과 같은 조합의 꽃다발을 샀어요. 어떤 꽃다발을 샀을지 찾아 번호에 ◯해주세요.

주황 장미 세 송이 | 분홍 장미 두 송이 | 흰 백합 두 송이

노란 국화 네 송이 | 빨간 카네이션 한송이

①

②

③

④

같은 모양 수세기 & 같은 색 칠하기

수계산력

1. 아래 그림 중에서 같은 모양을 찾아 개수를 세어서 아래 빈 칸에 적어 주세요.
2. 과일 이름을 이야기해보고, 예쁘게 색칠해 주세요.

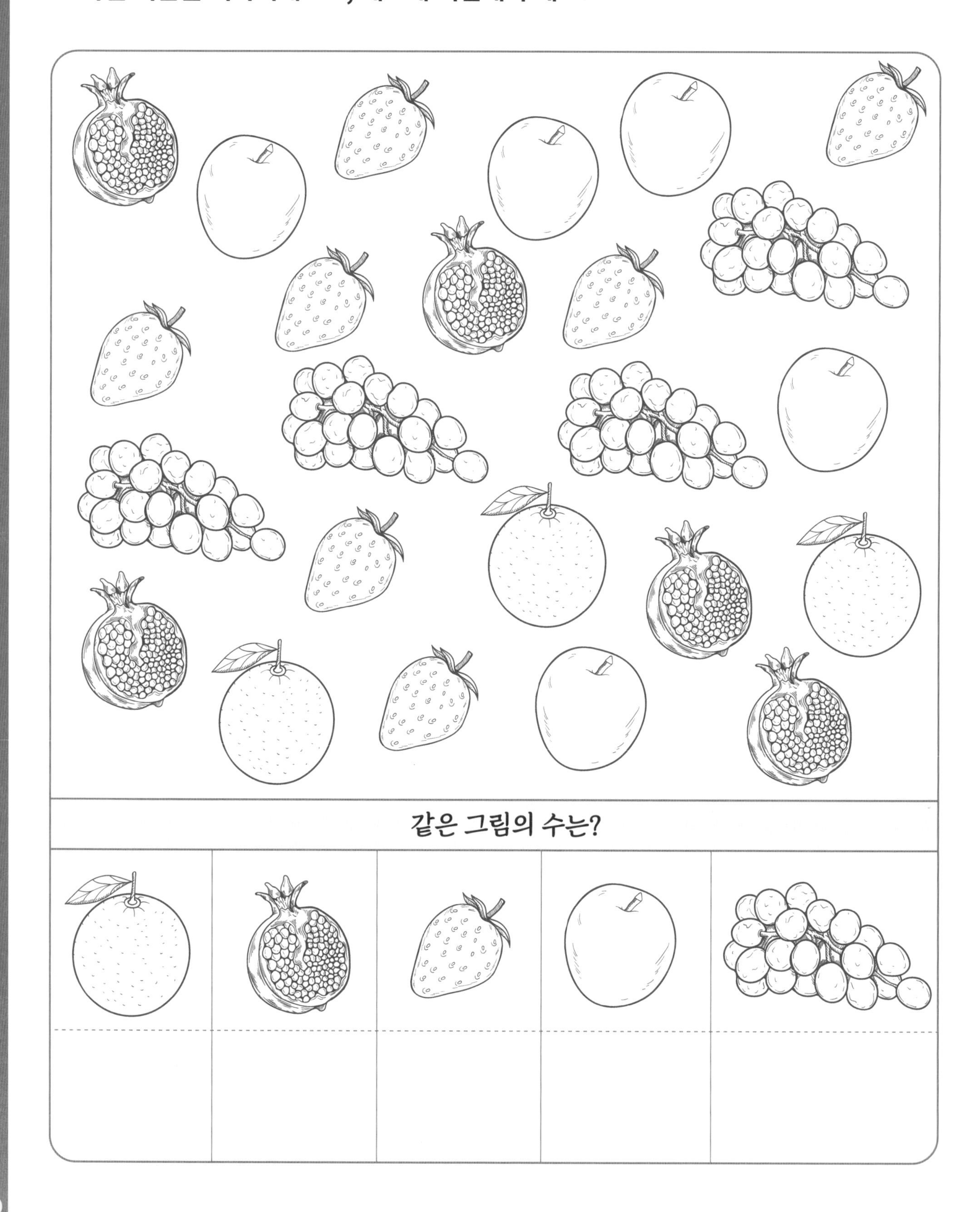

도형 찾기

왼쪽의 모양을 만드는데 오른쪽에 어떤 도형이 쓰였는지 찾아서 ◯해주세요.

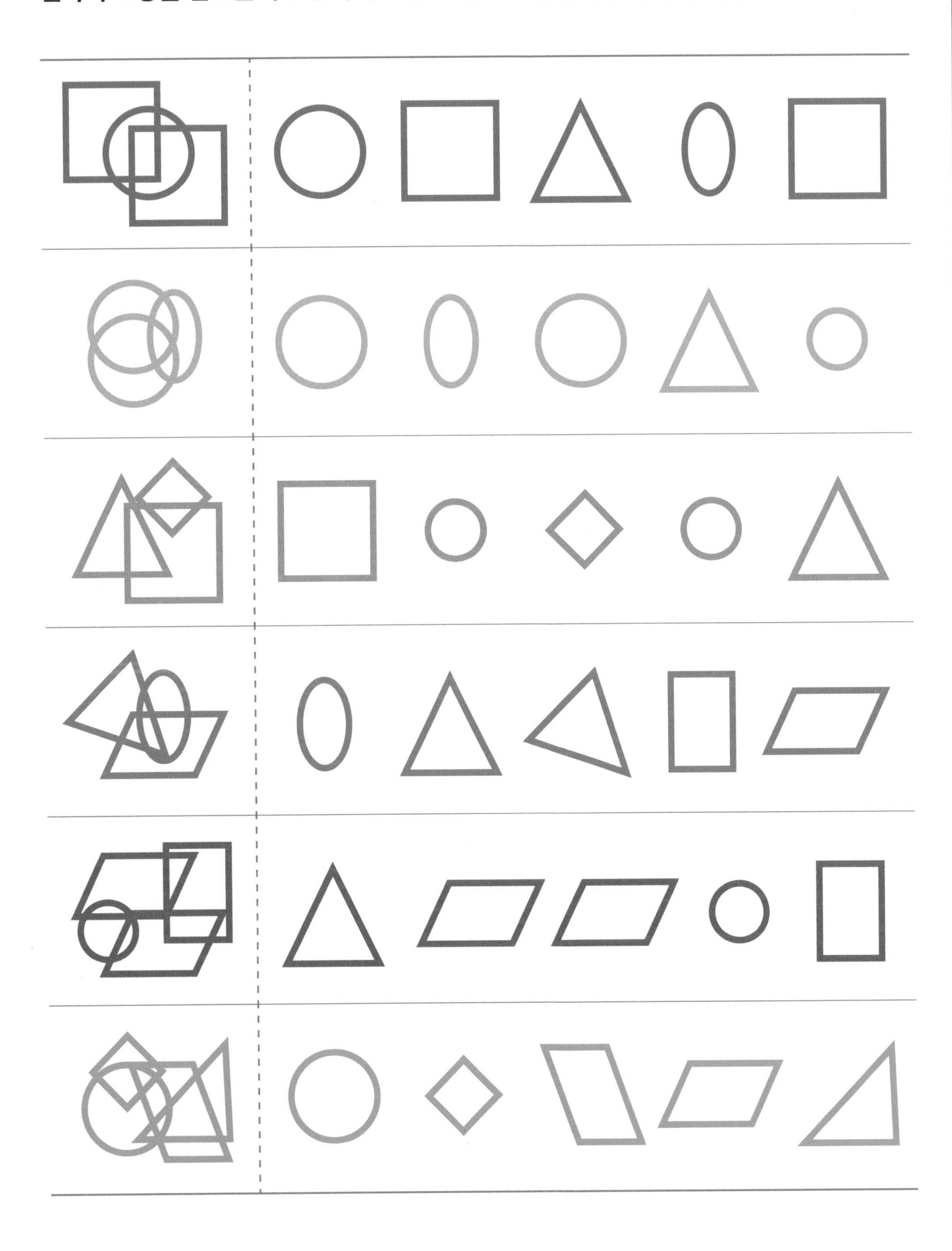

다른 수 전통 물건 찾기

각 네모 칸에 있는 수를 세어보세요. 한 칸에 있는 수는 다른 칸의 수들과 달라요. 어떤 칸의 수가 다른지 찾아서 ◯해주세요.

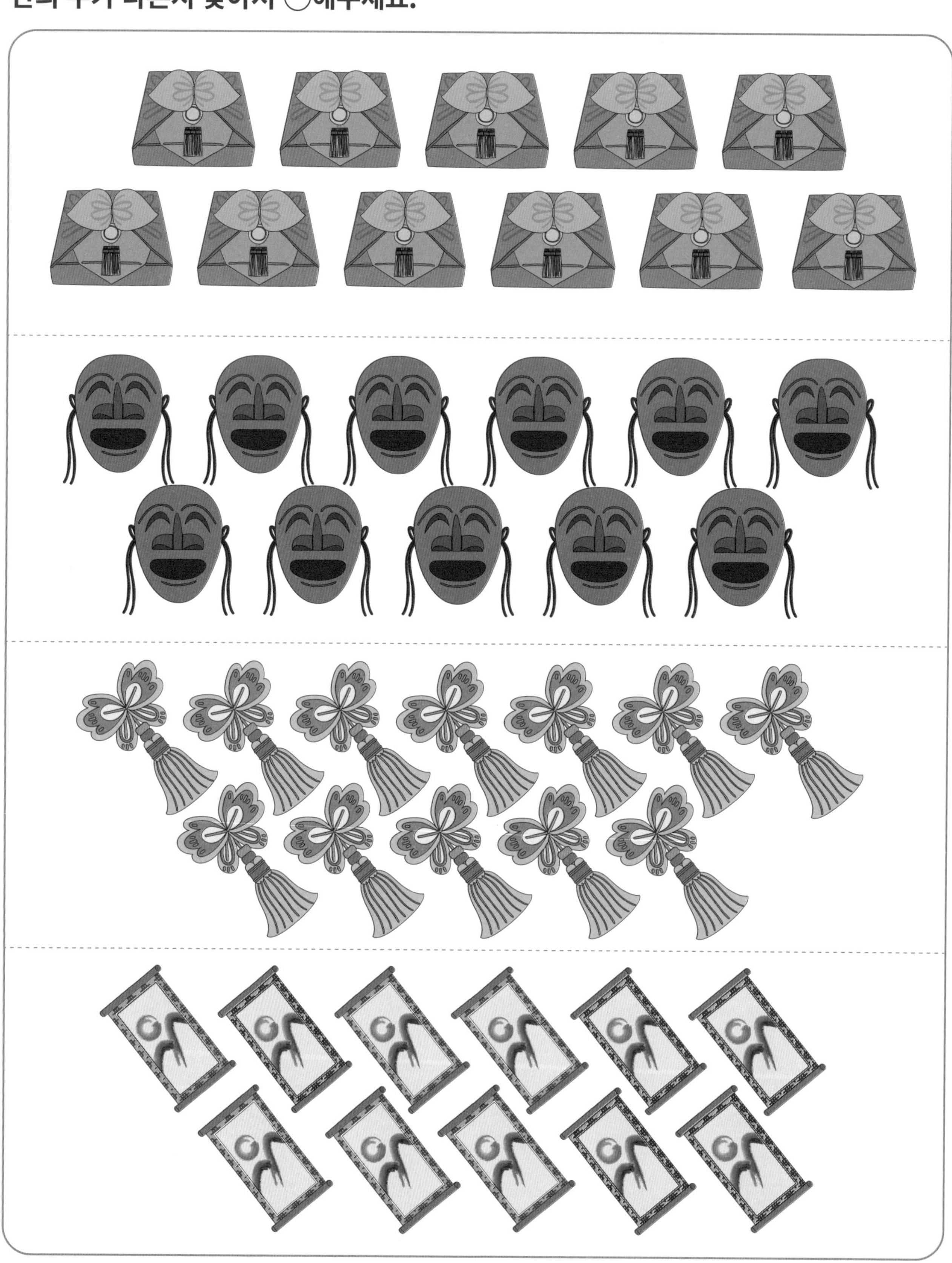

같은 보자기 찾기

★☆☆ 시공간력

아래 그림 중 같은 색 보자기 두 개를 찾아 번호에 ◯해주세요.

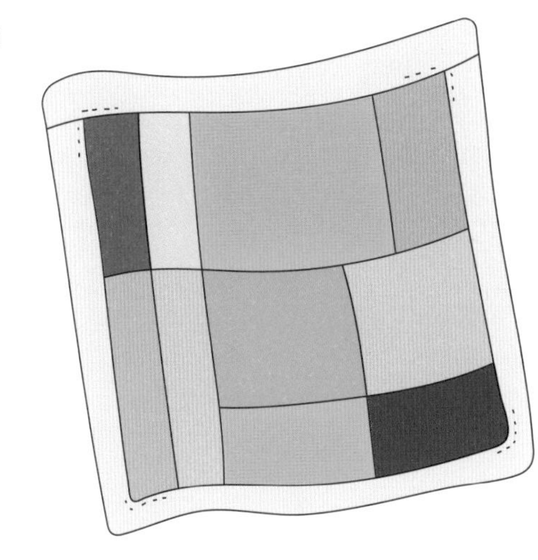

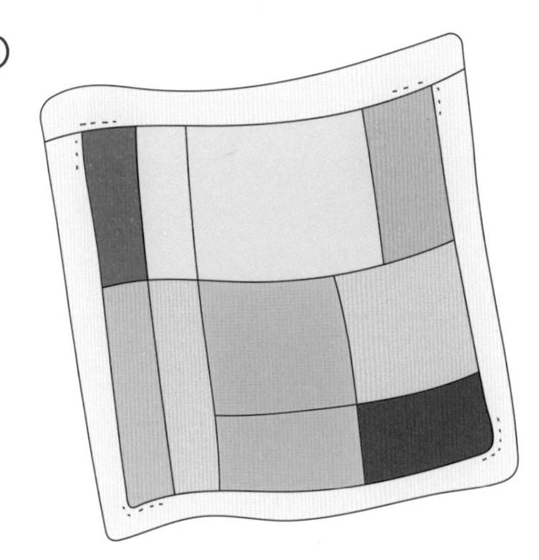

③

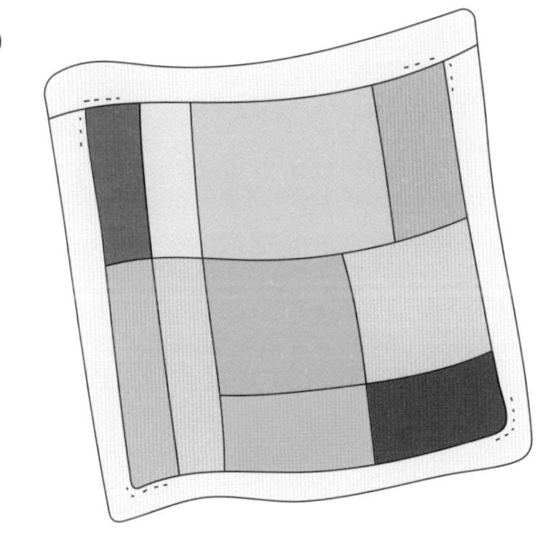

④

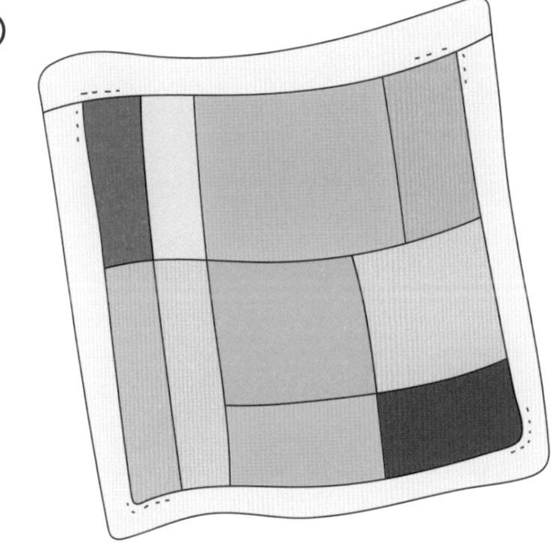

⑤

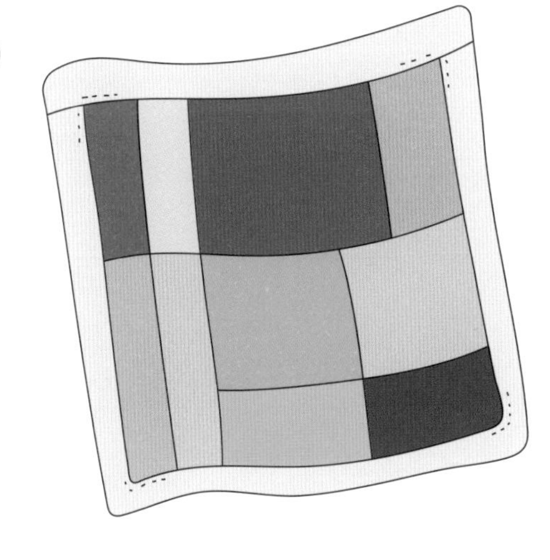

⑥

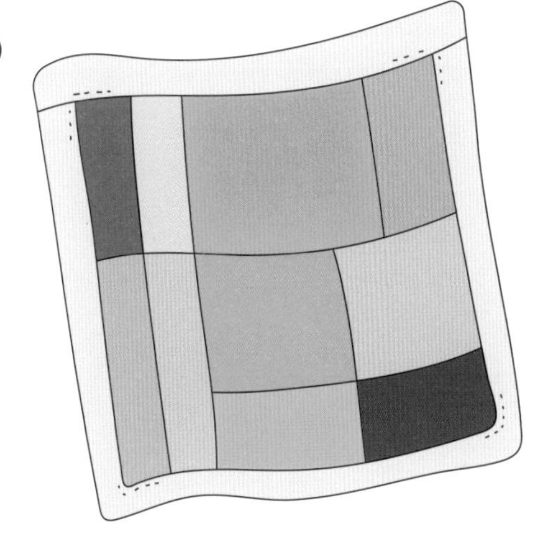

전통문양 찾기

보기의 그림과 같은 전통 문양이 몇 개 있는지 찾아서 숫자를 적어주세요.

전통놀이 이름과 인원 세기

1. 아래 전통놀이 그림을 보고 이름을 적어보세요.
2. 놀이를 하고 있는 사람은 몇 명인가요?
3. 그림을 예쁘게 색칠해보세요.

전통놀이 이름		인원수	명

전통놀이 이름		인원수	명

계절 그림 찾기

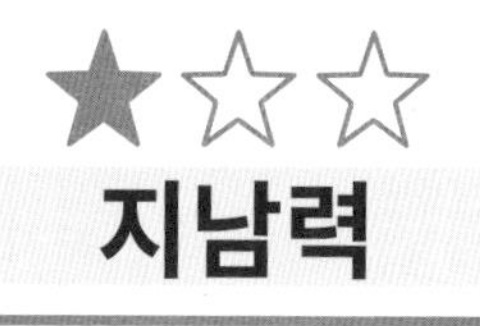

지금은 어느 계절인가요? 지금 계절과 관련 있는 그림을 모두 찾아 ◯해주세요.

다른 경치 찾기

아래 마을 그림을 잘 보고 마을의 그림이 아닌 그림을 동그라미 그림 중에 골라주세요.

워크북
03

치매예방을 위한 뇌훈련

실버인지놀이

실버인지놀이
중급
★★☆

음식 재료와 음식 연결하기

1. 네모 안의 재료로 만든 요리를 찾아 선으로 연결해 주세요.
2. 음식 재료와 음식 이름을 아래에 적어보거나 이야기 해보세요.

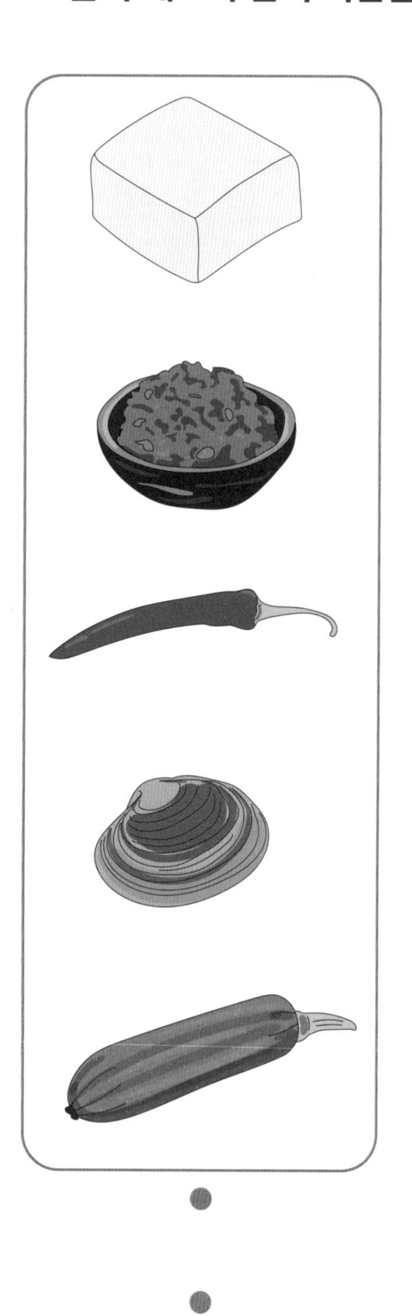
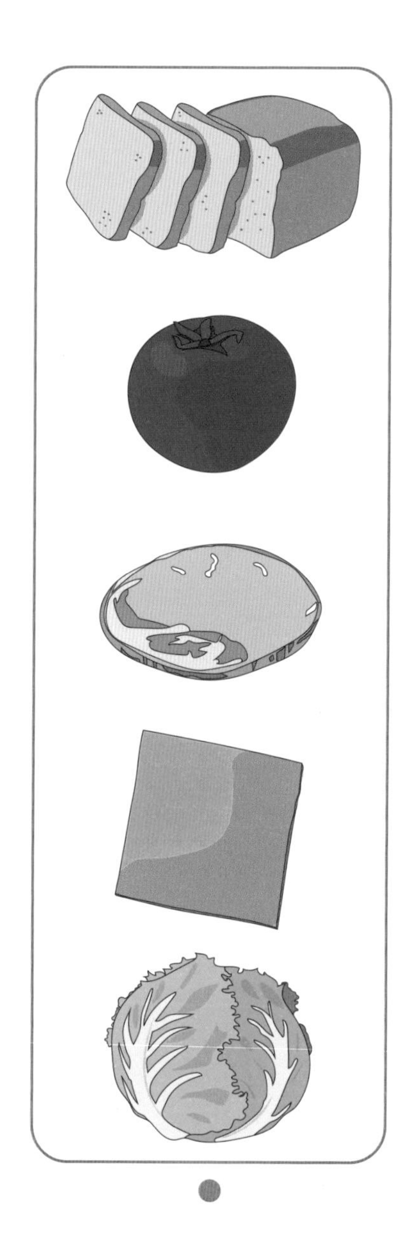

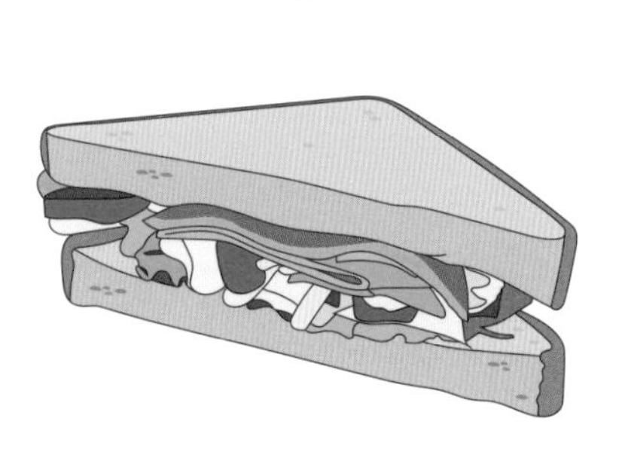
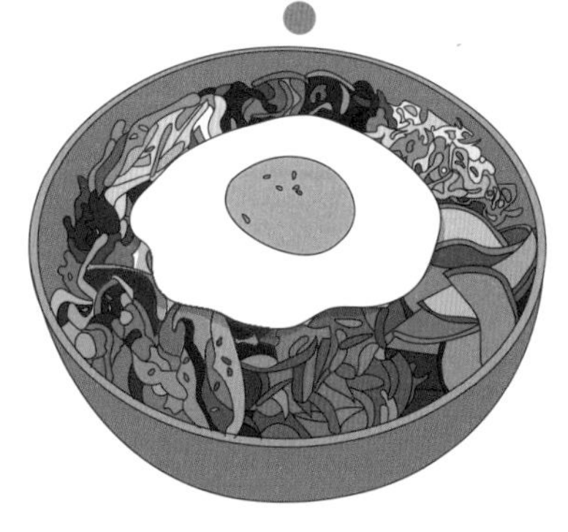
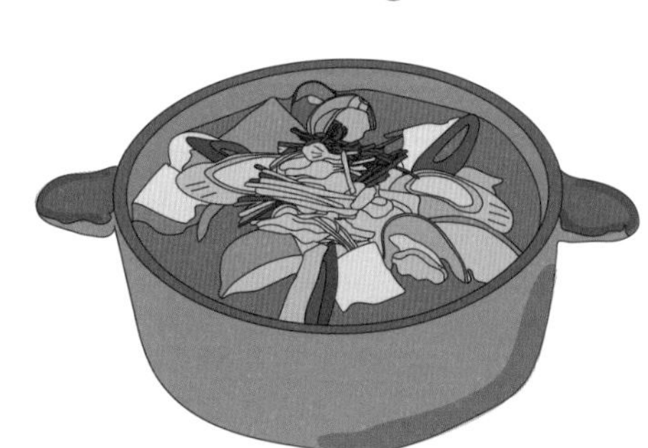

입고 있는 옷 찾기

보기의 남자가 입고 있는 옷, 신발, 모자를 오른쪽에서 찾아 ◯해주세요.

물에 뜨는 물건 찾기

1. 아래 그림 중에서 물에 뜨는 물건을 찾아 ◯해주세요.
2. 물건 그림 아래에 물건 이름을 적어보세요.

같은 그림 기억하기 앞

1. 그림을 보고 이름을 아래에 적거나 말해보세요.

2. 그림을 보고 잘 기억한 후 다음 장을 펼쳐주세요.

같은 그림 기억하기 뒤

1. 앞의 페이지에 있던 그림으로 이루어진 그림의 번호를 찾아 ◯해주세요.

2. 그림을 보고 이름을 순서대로 말하거나 적어보세요.

같은 음으로 시작하는 그림 찾기

1. 왼쪽 보기의 그림과 같은 음으로 시작하는 단어를 오른쪽 그림에서 찾아서 ◯해주세요.
2. 그림을 보고 단어 이름을 적거나 말해보세요.

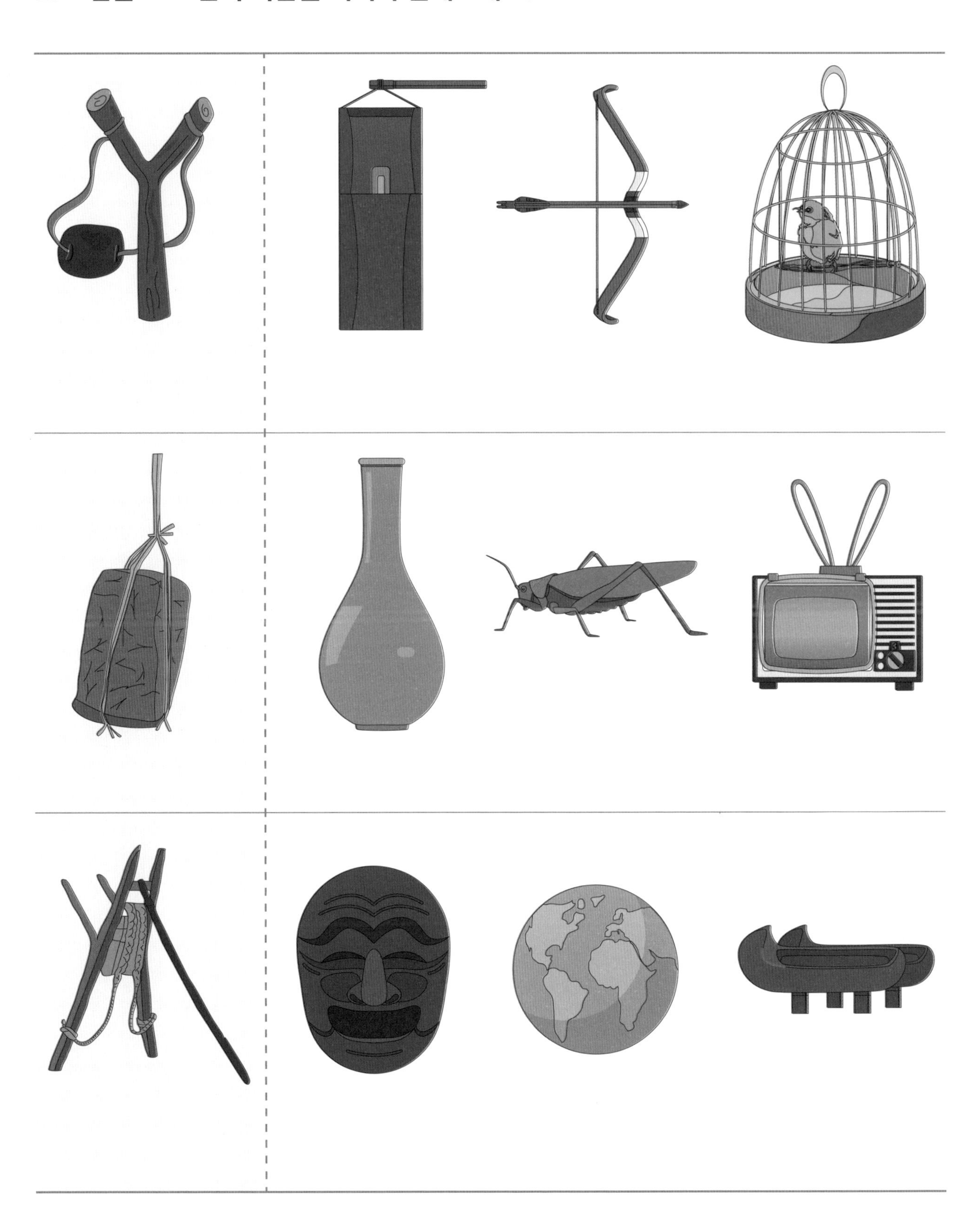

떡 접시 더하기

두 사람이 먹은 떡을 합치면 몇 개가 될지 계산해보고, 아래 빈칸에 떡 개수만큼 동그라미를 그려주세요

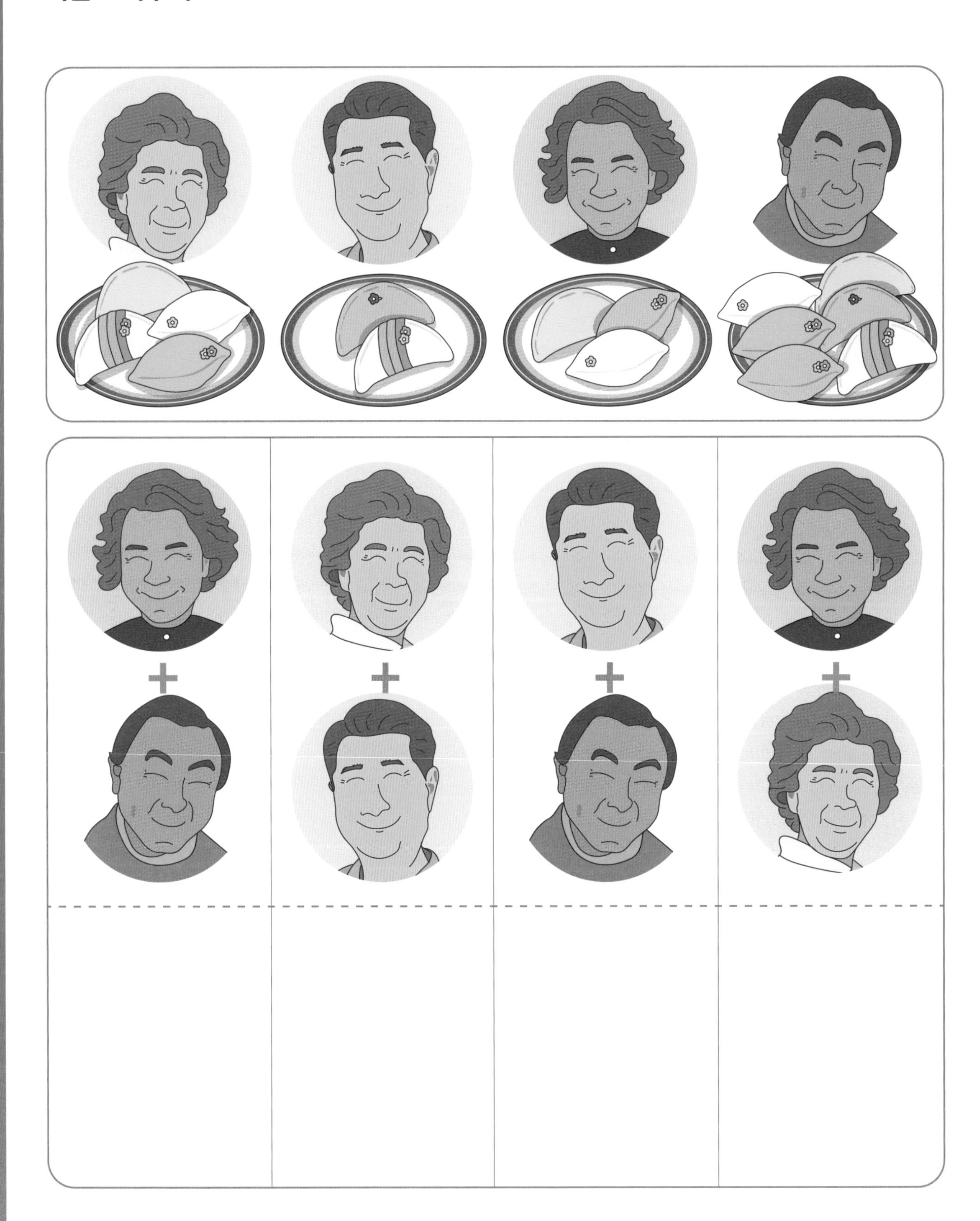

틀린 그림 찾기

위의 그림과 아래의 그림을 비교해보고 틀린 부분을 찾아 아래 그림에 ◯해주세요.
틀린 부분은 5군데입니다.

11이 되게 그리기

왼쪽 그림의 수가 11이 되게 하려면 각각 몇이 더 필요할까요?
오른쪽 칸에 필요한 수만큼 ◯해주세요.

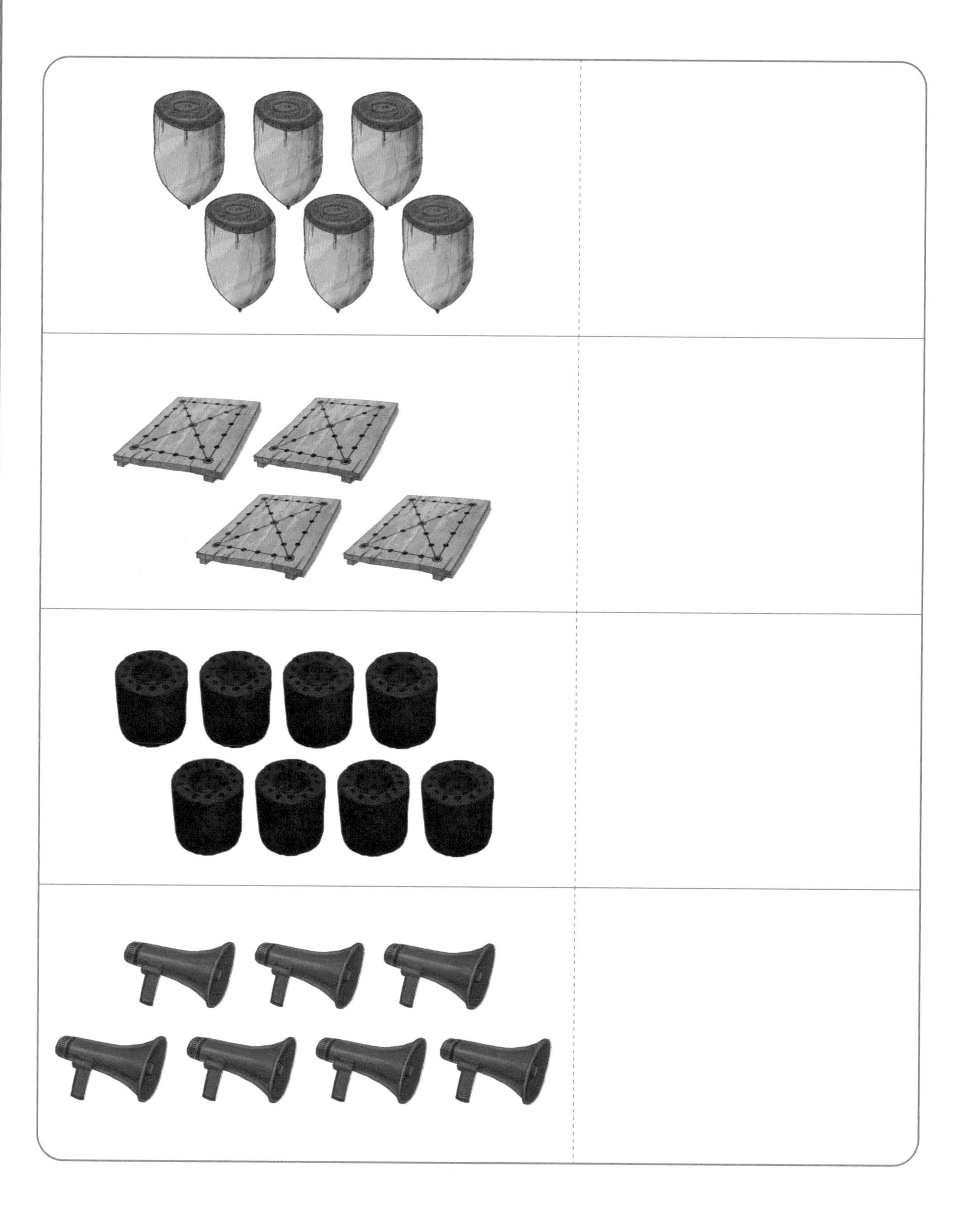

같은 조합 찾기

위의 보기와 같은 조합의 그림을 아래 ①~④에서 찾아 ◯해주세요.

①

②

③

④

겹친 그림자 찾기

1. 왼쪽의 그림자가 되려면 오른쪽에서 어떤 그림이 필요한지 두 개씩 찾아 ◯해주세요.
2. 오른쪽 그림을 보고 이름을 이야기하거나 적어보세요.

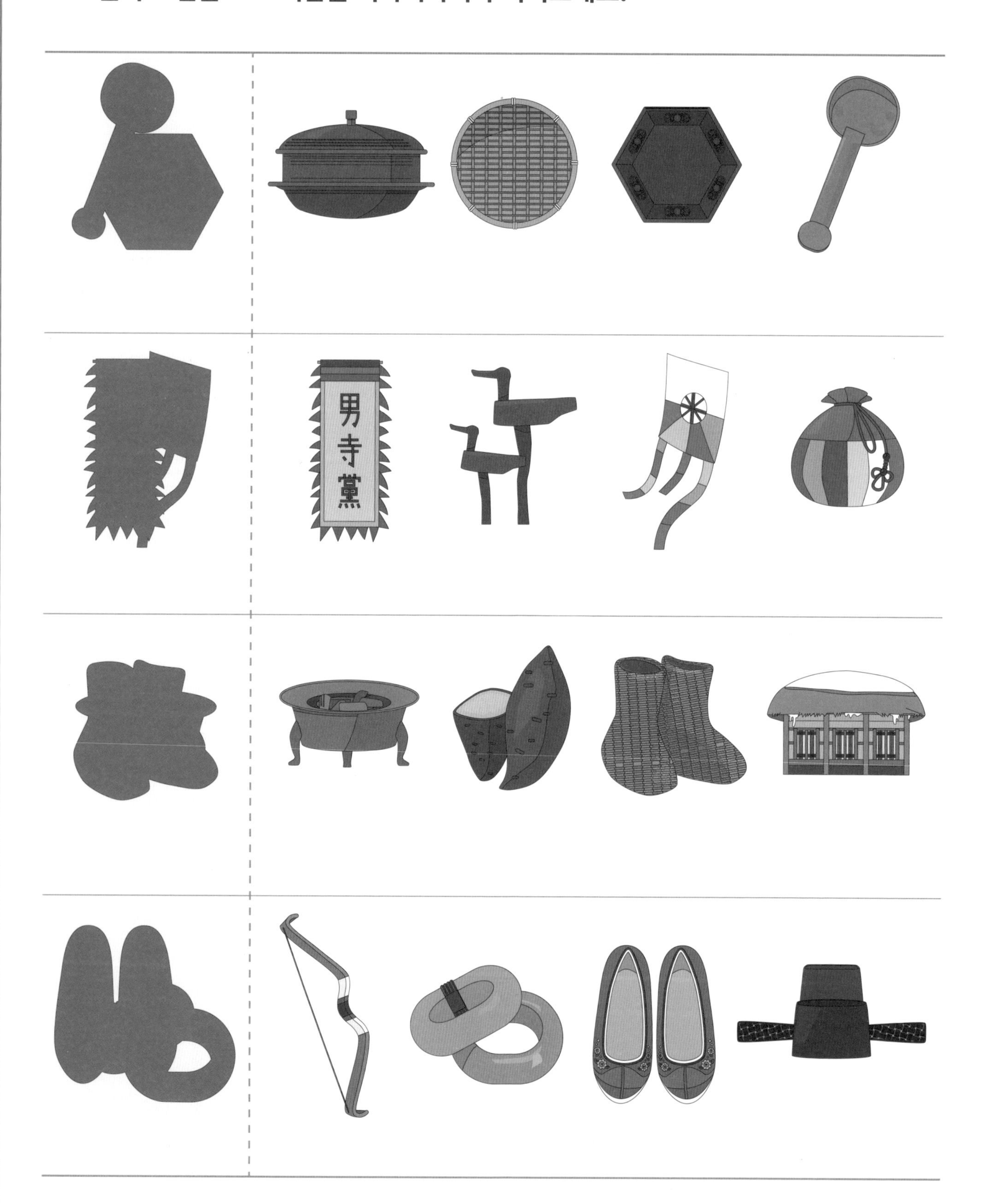

자른 단면 찾기

왼쪽 그림을 가로로 자른 단면 그림을 오른쪽에서 찾아 연결해 주세요.

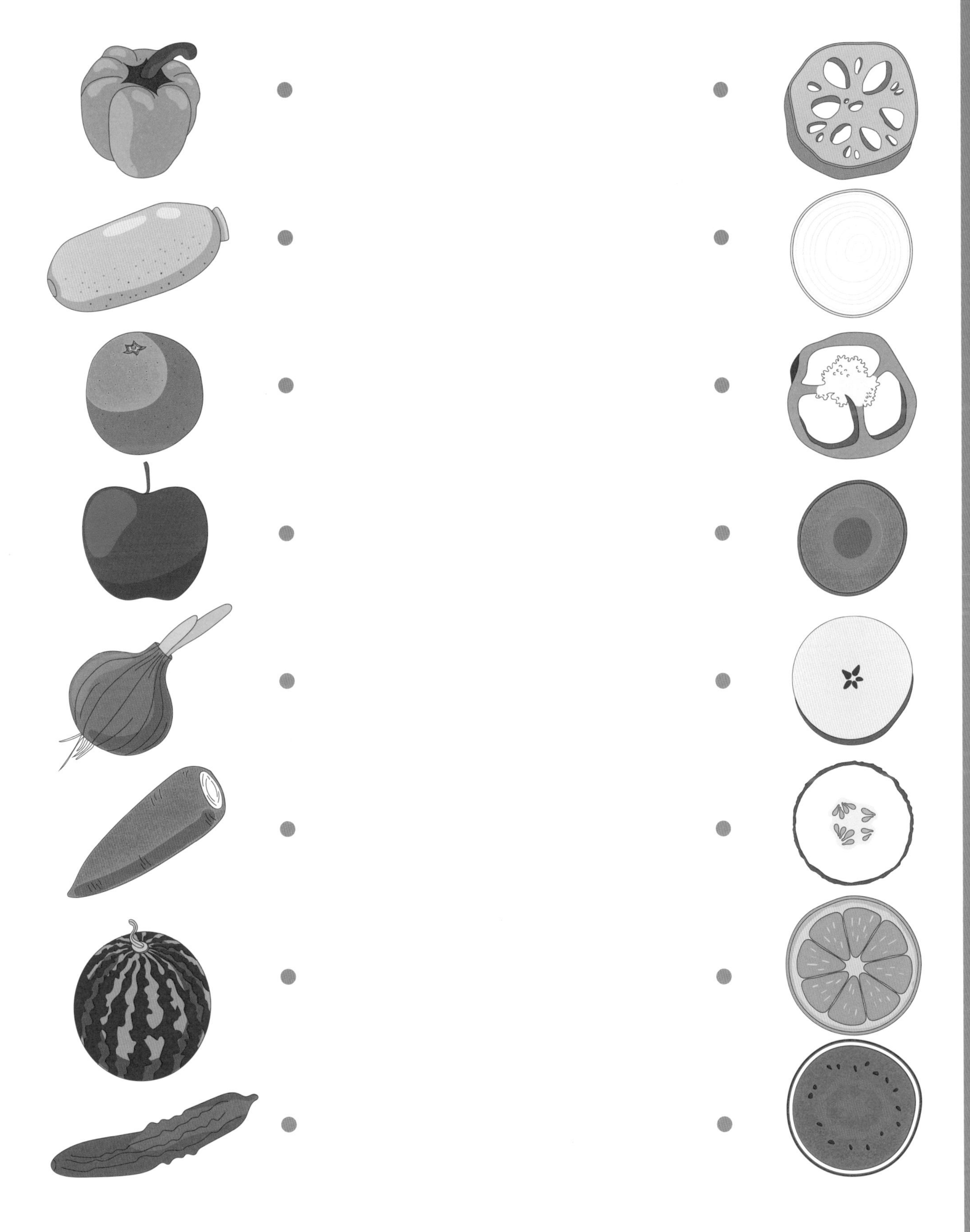

회전 테이블 음식 찾기

테이블을 회전했더니 음식 위치가 바뀌었어요. 아래 그림에서 ①~③의 위치에 맞는 음식 그림을 찾아 ①~③ 번호를 적어 주세요.

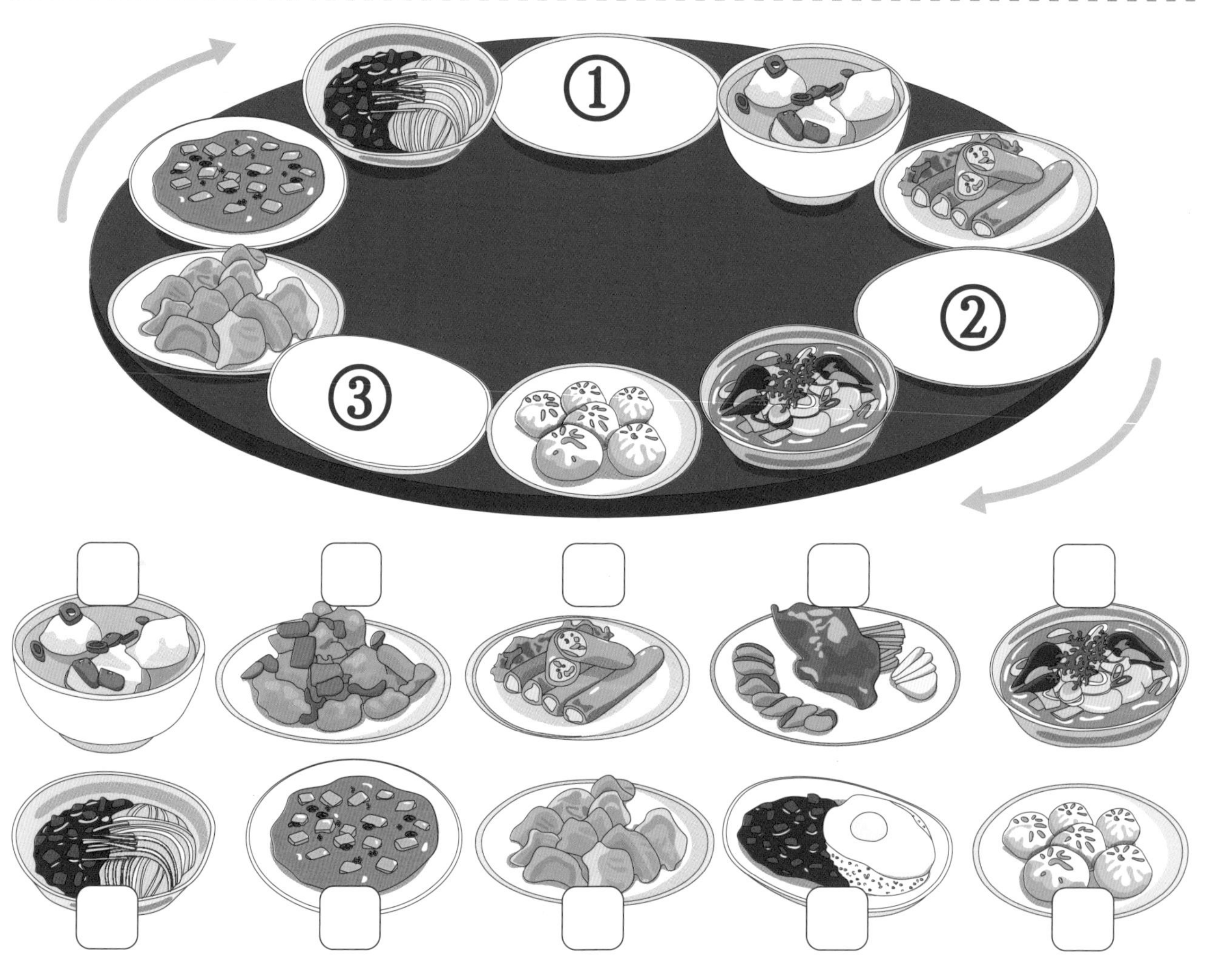

두 글자 채소 찾기

1. 아래 채소 중에서 두 글자가 아닌 채소를 찾아 X해주세요.

2. 채소 그림 아래에 채소 이름을 적어보고, 가장 좋아하는 채소에 ◯해보세요.

누구일까요?

누구의 사진이 잘라진 건지 맞추어보고, 맞는 그림에 ◯해주세요.

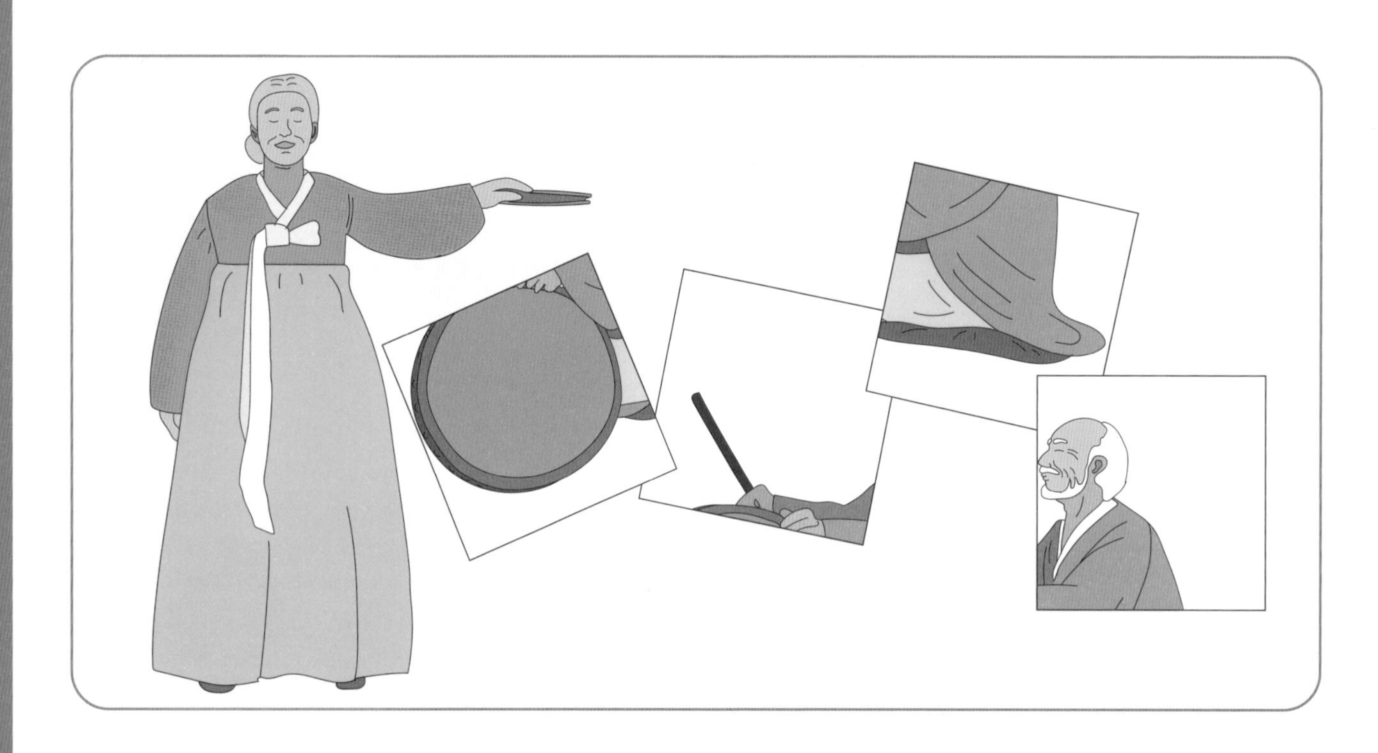

친구와 자녀 집 찾기

이 아파트에는 친구와 자녀가 살고 있습니다. 두 명의 집이 어디인지 찾아보세요.

1. 친구 집은 1층이고 옆집에 여자 아이가 살고 있어요. 친구 집에 ◯해주세요.

2. 자녀는 꼭대기 층에 살고 있고 아랫집에 남자 아이가 살고 있어요. 자녀 집에 △해주세요.

지역과 관광지

아래 네모안에 관광명소는 어느 지역에서 유명한 것인지 지도에서 찾아 선으로 연결해 주세요.

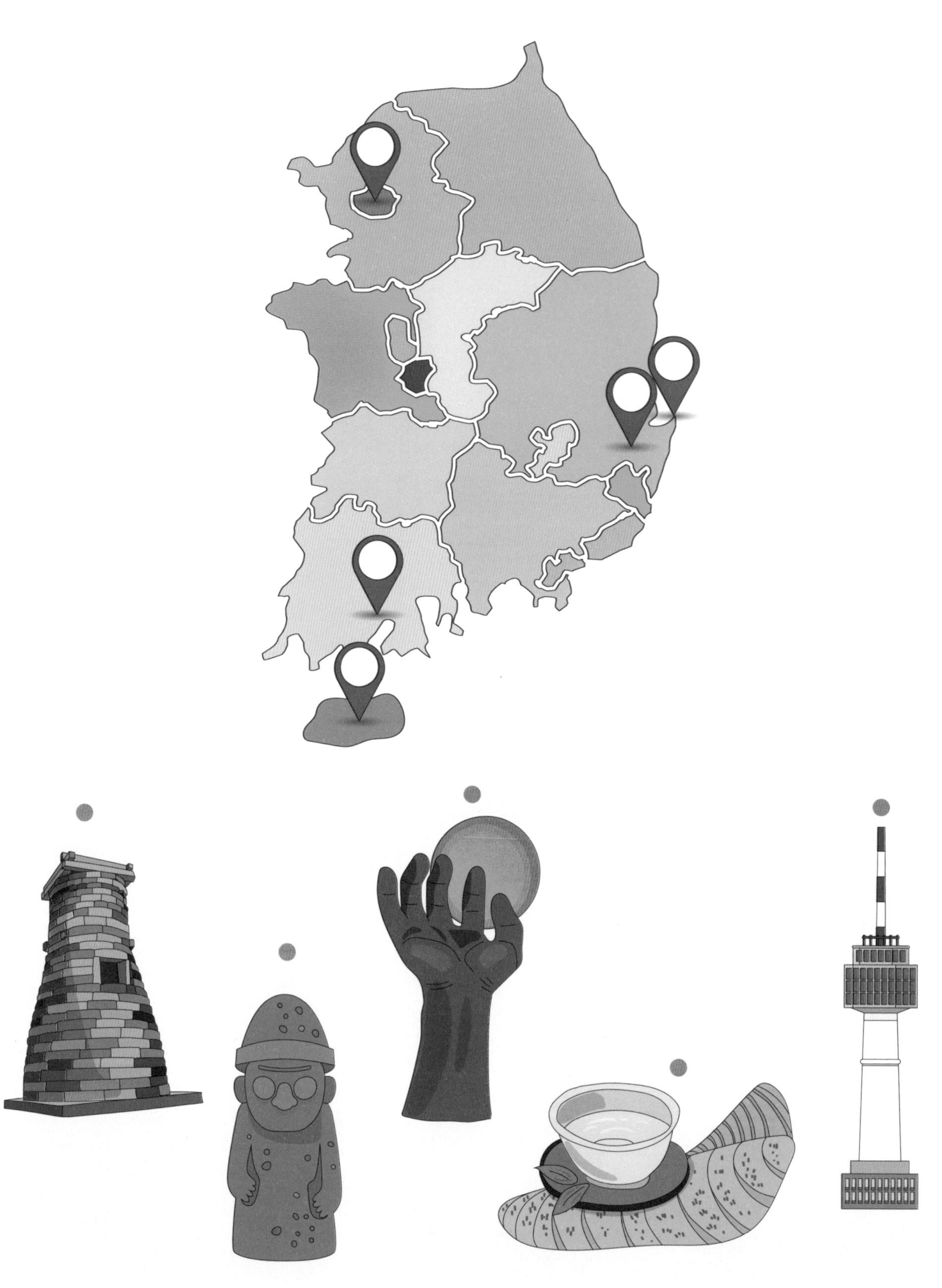

동물 꼬리 연결하기

왼쪽 동물 얼굴 그림을 보고 맞는 꼬리를 찾아 선으로 연결해 보세요.

동물 이름을 동물 얼굴 그림 아래에 적어 보세요.

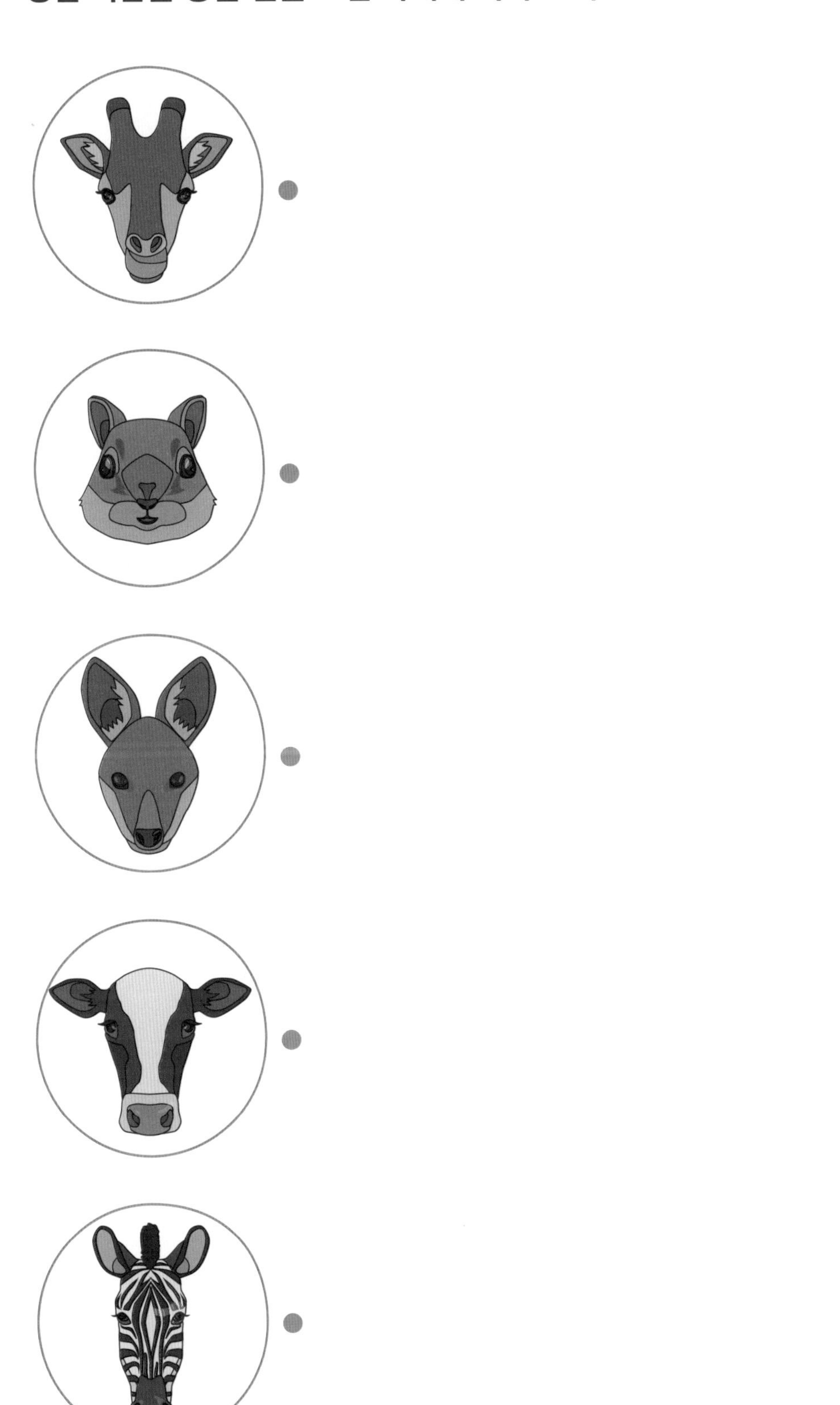

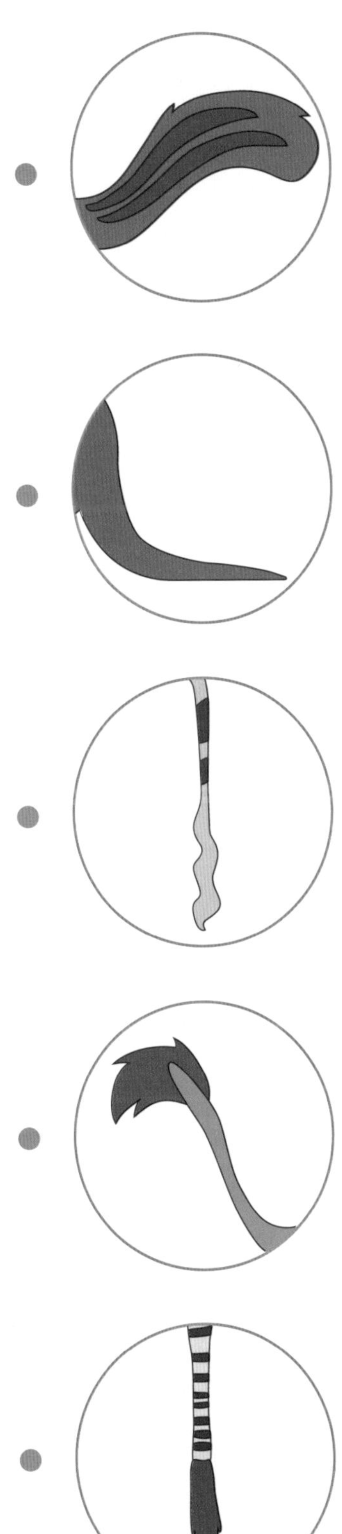

음식이름 초성 퀴즈

초성(자음)을 보고 음식 이름을 완성해서 적어보세요.

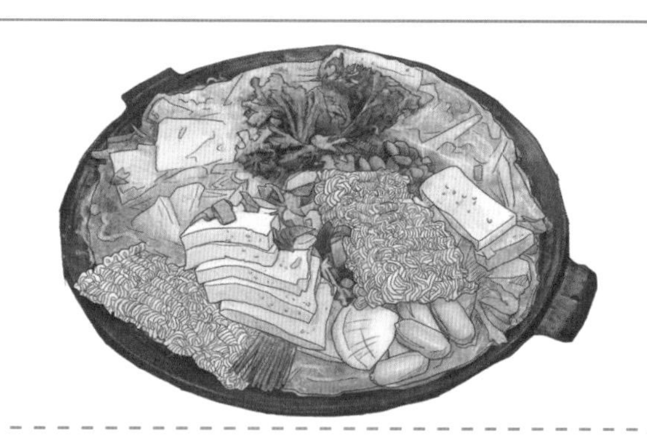	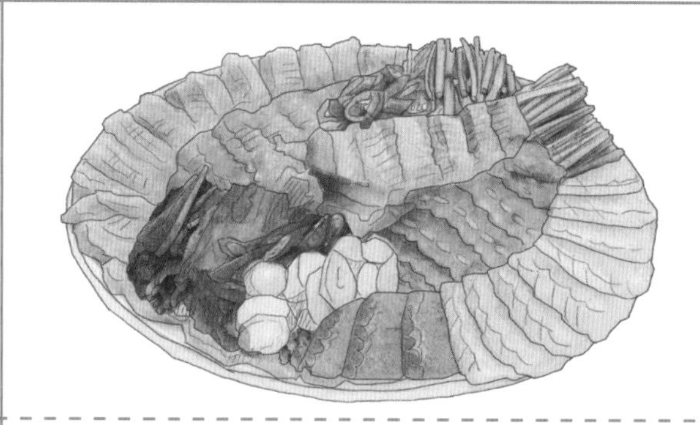
ㅂ ㄷ ㅉ ㄱ	ㅎ ㅇ

ㅎ ㄷ ㄱ ㅈ	ㅊ ㅁ ㄱ ㅂ
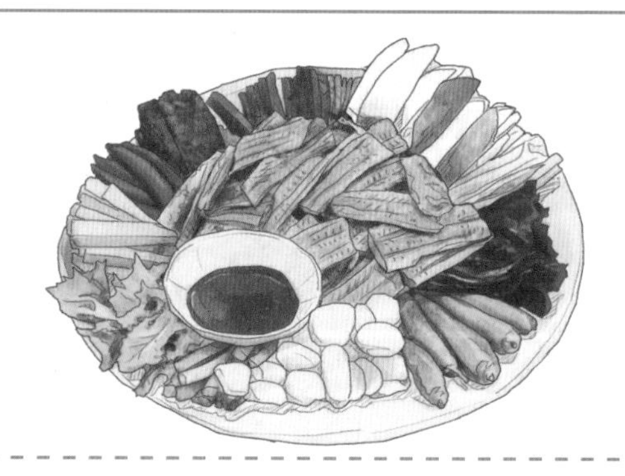	
ㄱ ㅁ ㄱ	ㅇ ㅈ ㅇ ㅅ ㄷ

쓰임이 다른 것 고르기

1. 왼쪽의 그림과 쓰임이 다른 것을 오른쪽 그림에서 찾아 X 해주세요.

2. 그림을 보고 물건의 이름을 적어보세요.

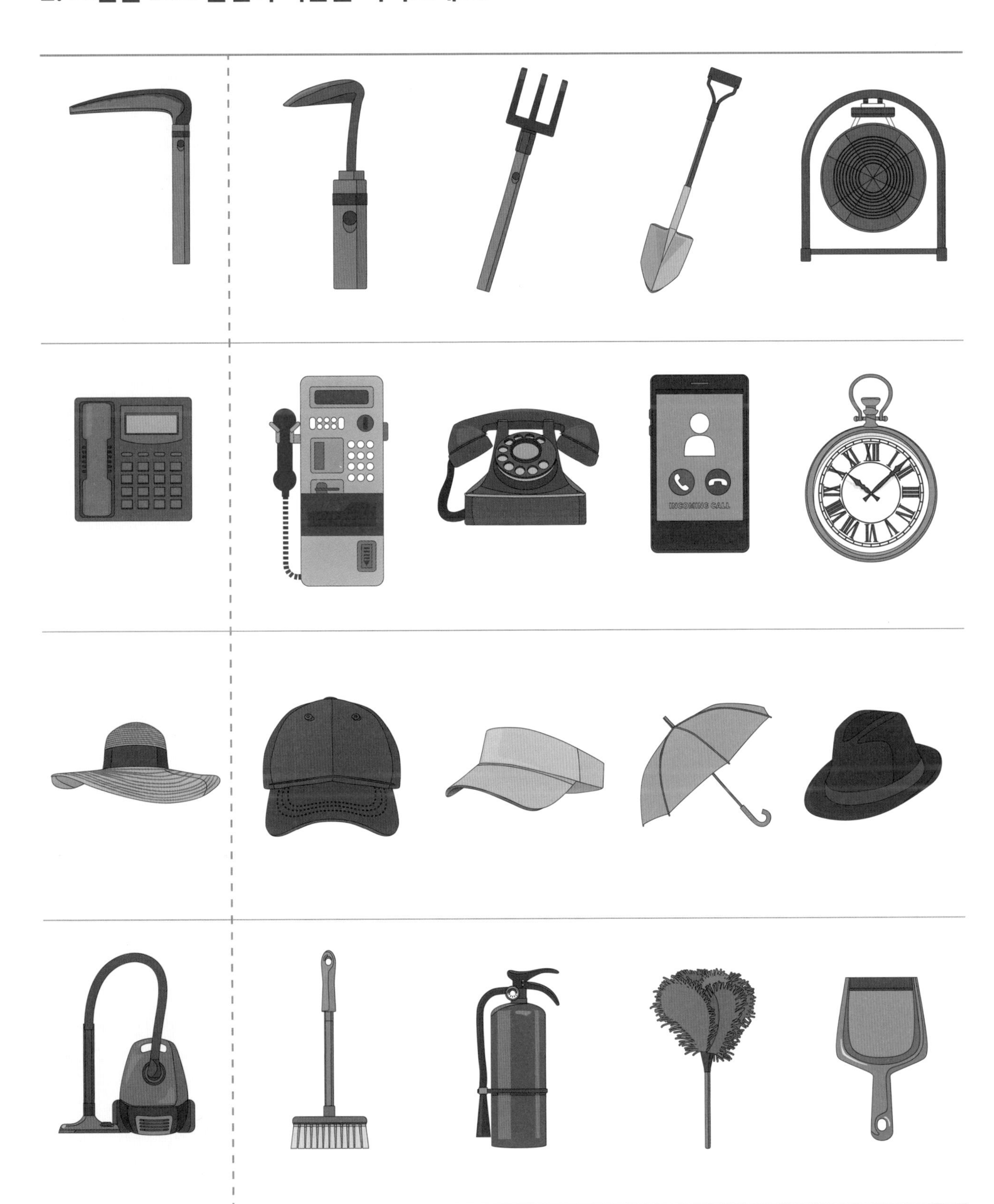

워크북
03
치매예방을 위한 뇌훈련
실버인지놀이

실버인지놀이
고급

★★★

날씨와 물건 연결하기

그림을 보고 날씨에 필요한 물건을 찾아 아래 네모칸에 번호를 적어 넣어 주세요.

①

②

③

④

⑤
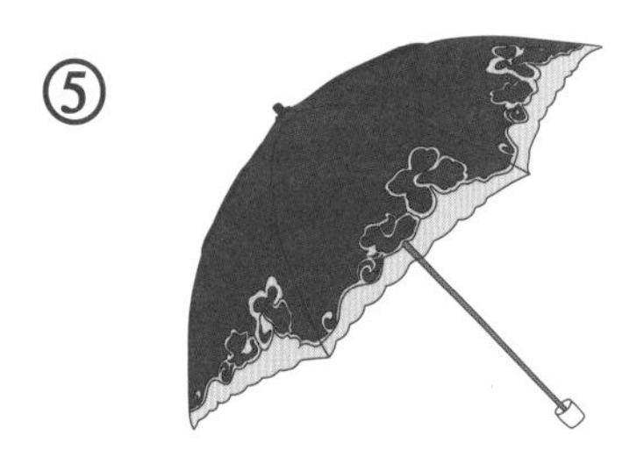

⑥
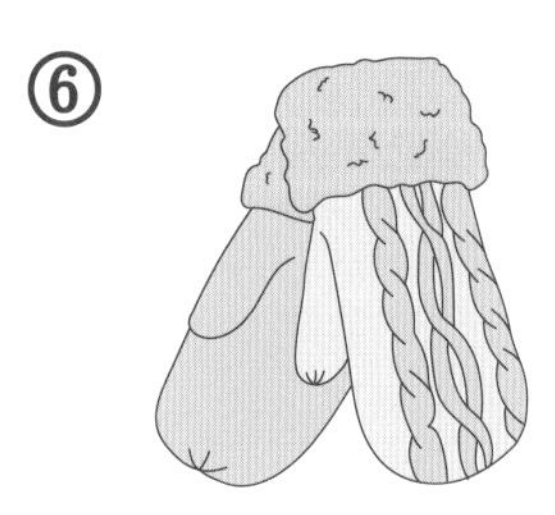

⑦

⑧
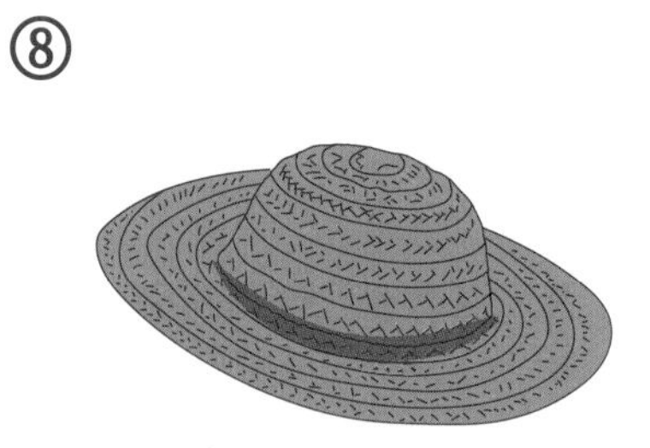

⑨
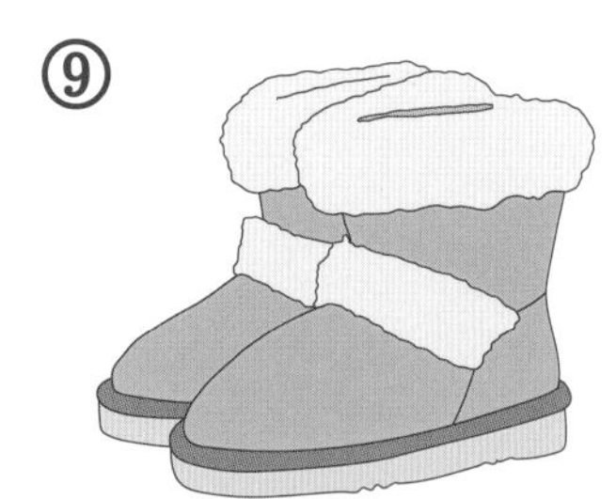

같은 음 단어 찾기

1. 보기의 그림 이름과 같은 음으로 시작되는 단어는 ◯, 같은 음으로 끝나는 단어는 □해주세요.

2. 보기의 그림 이름과 같은 가운데 음을 가진 단어를 찾아 ◯해주세요.

메뉴 고르기

다음 메뉴판을 보고 이 음식점에서 시킬 수 없는 음식을 골라 ◯해보세요.

오므라이스	라면	김밥	군만두	순대	어묵	떡볶이
6000	4000	3000	4000	3000	3000	3000

없어진 주방기기 찾기

1. 선반에는 다양한 주방기구가 놓여 있습니다. 위의 그림에 있던 그림 중에 아래에는 없어진 것들이 있습니다. 없어진 주방기구 2개를 찾아 위의 그림에서 ◯해주세요.
2. 주방기구 이름을 적거나 말해보세요.

어울리는 의상-소품-신발 연결하기

머리에서 발끝까지 어울리는 의상과 소품, 신발을 찾아 선으로 연결해 주세요.

앞장에 있던 그림 찾기 앞

아래 그림을 잘 보고 무엇이 있는지 기억하고 다음 장으로 넘겨주세요.

앞장에 있던 그림 찾기 뒤

아래 그림 중 앞 장에서 보았던 그림을 모두 찾아 그림에 ◯해주세요.

같은 글자 수 단어

1. 왼쪽 그림과 같은 글자 수의 단어를 찾아 오른쪽 그림에서 ◯해주세요.

2. 그림 아래에 명칭을 적어 보세요.

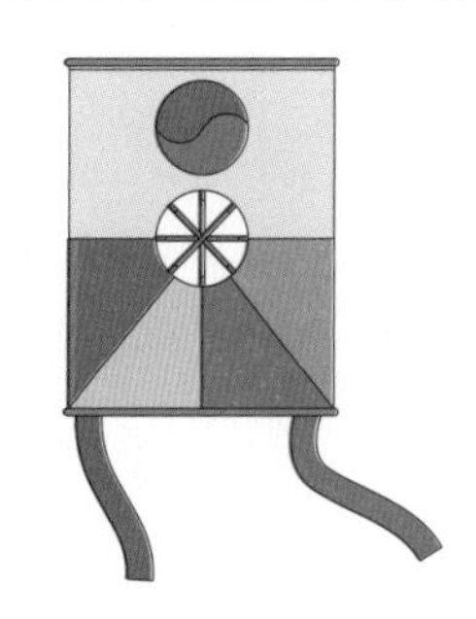

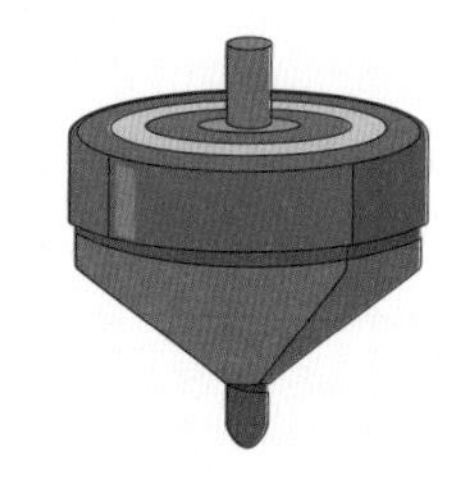

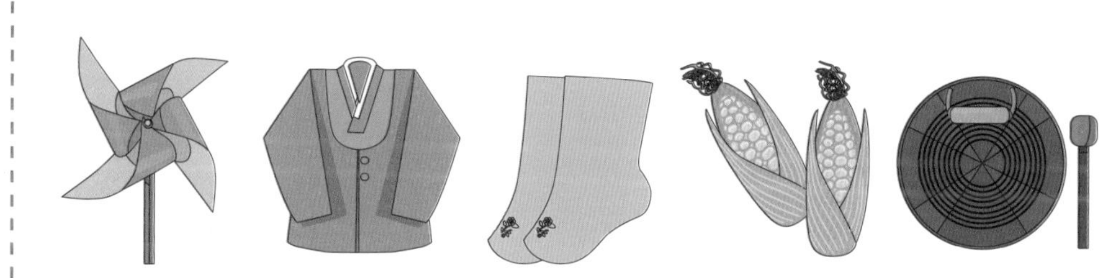

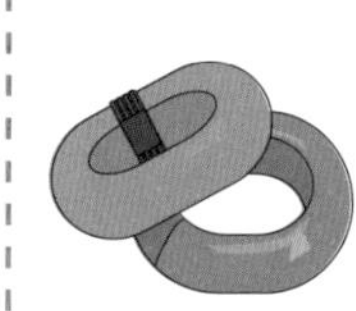

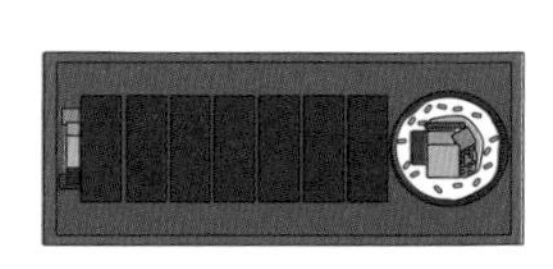

타고 내린 사람 찾기

지하철 안의 모습입니다. 위의 그림과 아래의 그림을 비교해보면 타고 있는 사람이 다르네요.

1. 타고 있다 내린 사람이 누구인지 위의 그림에서 찾아 X해주세요.
2. 새로 탄 사람이 누구인지 아래의 그림에서 찾아 ◯해주세요.
3. 계속 타고 있는 사람이 누구인지 아래의 그림에서 찾아 ◎해주세요.

달라진 동물 우리

1. 위의 그림에 있었지만 아래의 그림에서 사라진 동물을 찾아 위의 그림에 X 해주세요.
2. 위의 그림에 없었지만 아래의 그림에 나타난 동물을 찾아 아래의 그림에 ◯해주세요.

회전시 같은 그림 찾기

왼쪽 그림과 같은 그림을 오른쪽 네모 안에서 찾아 ◯해주세요.

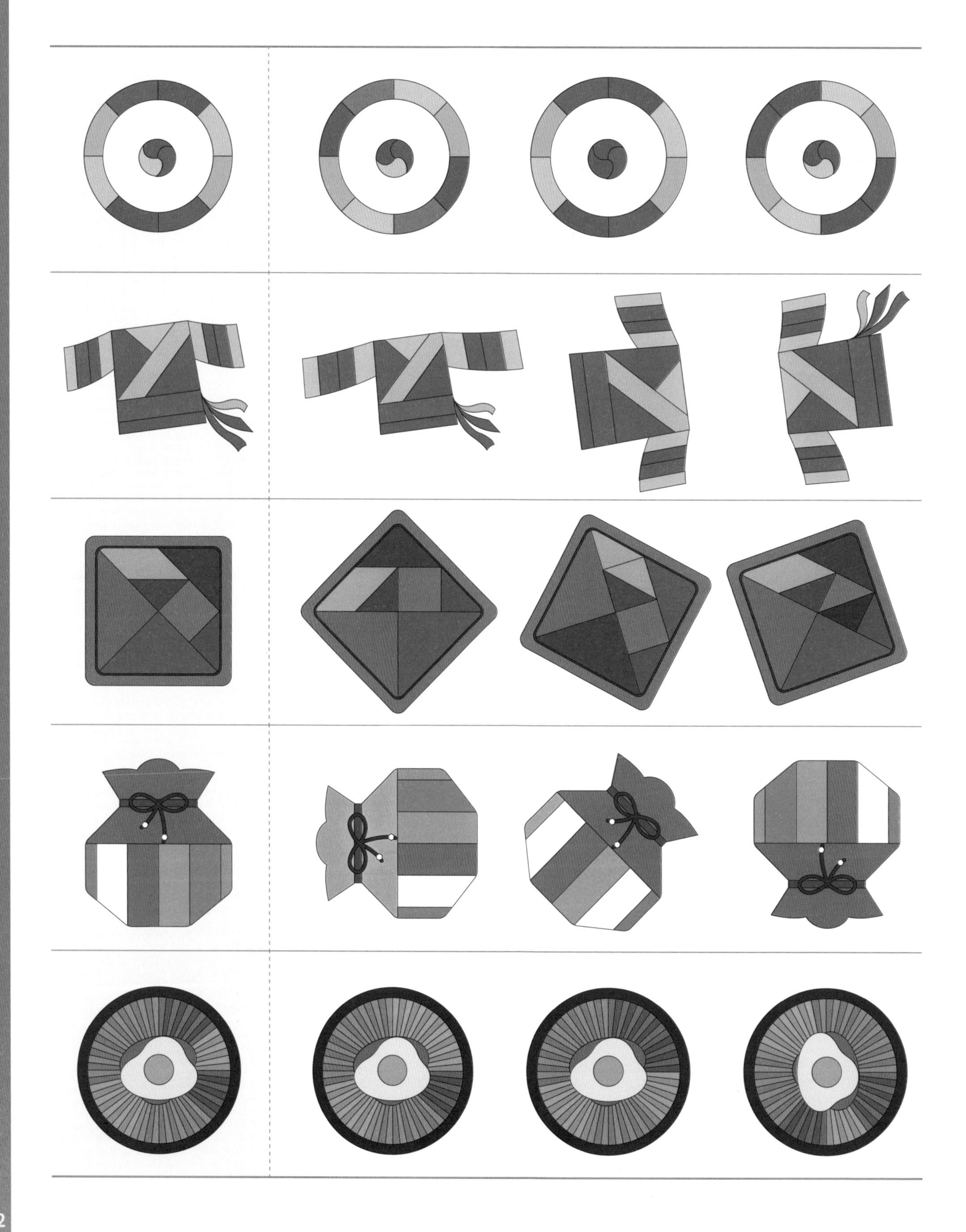

숨은 그림 찾고 색칠하기

1. 다음 그림에서 숨은 그림 5개를 찾아 ◯해주세요.

2. 그림을 예쁘게 색칠해 보세요.

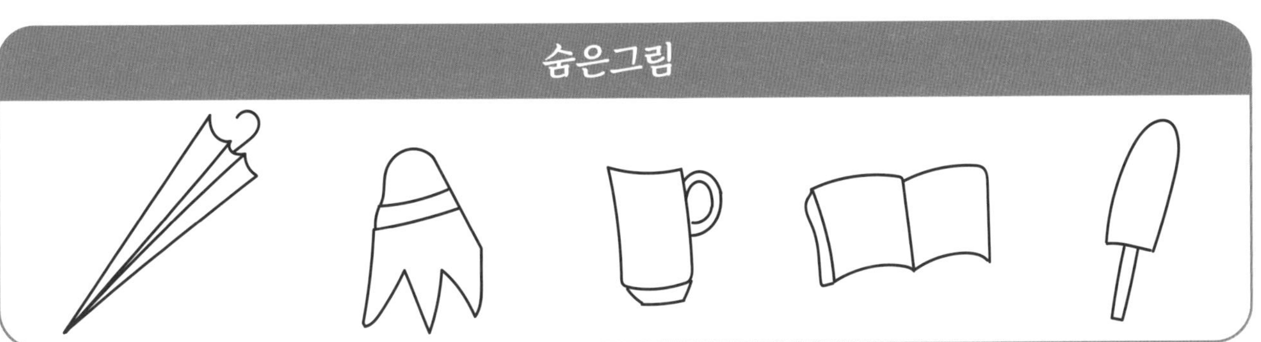

사자성어 초성퀴즈

아래 그림을 보고 사자성어 초성퀴즈를 맞춰보고, 뜻을 아래에 적어보세요.

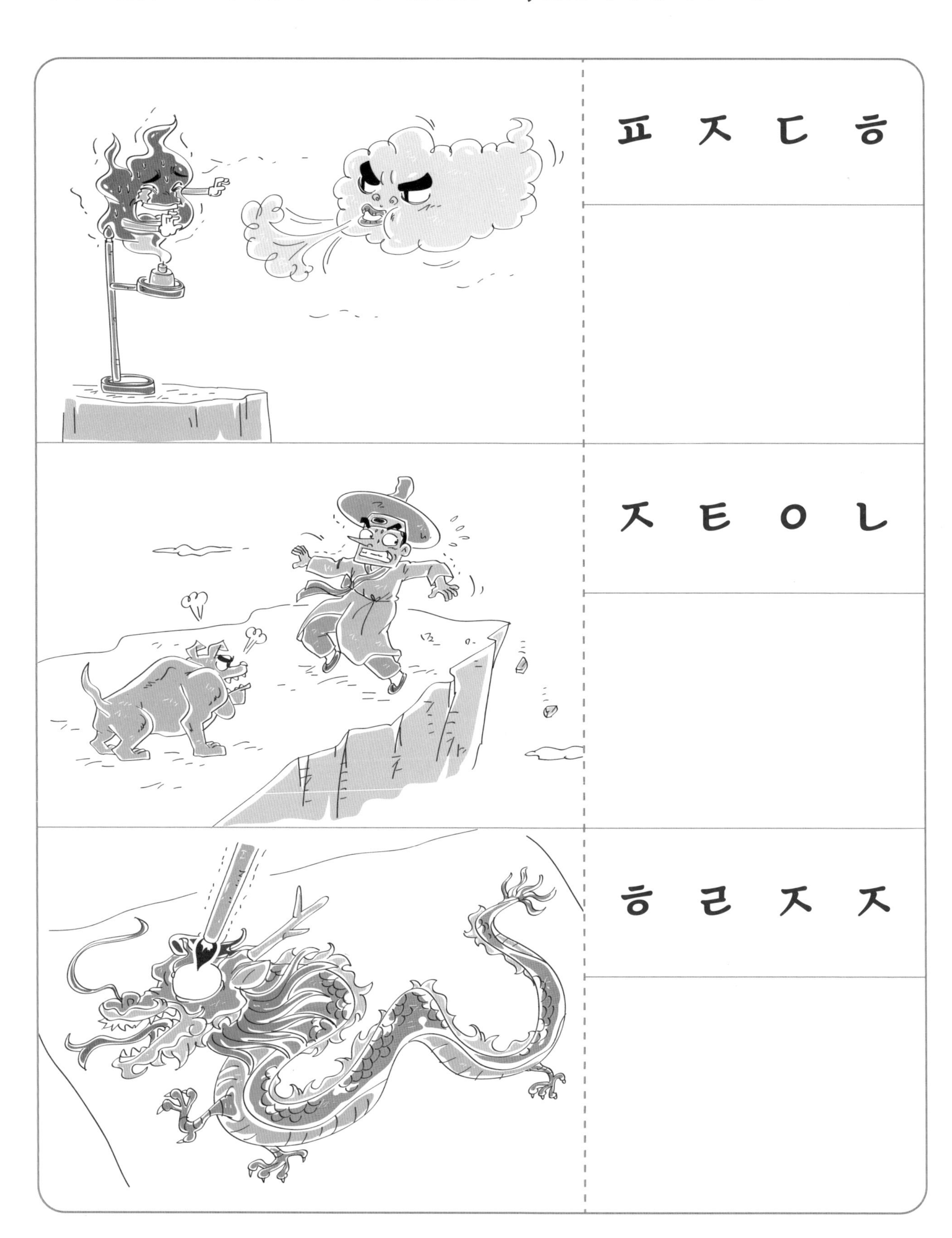

틀린 그림 찾기

위 그림과 아래의 그림을 비교해보고 틀린 그림 5군데 찾아 아래의 그림에 ◯해주세요.

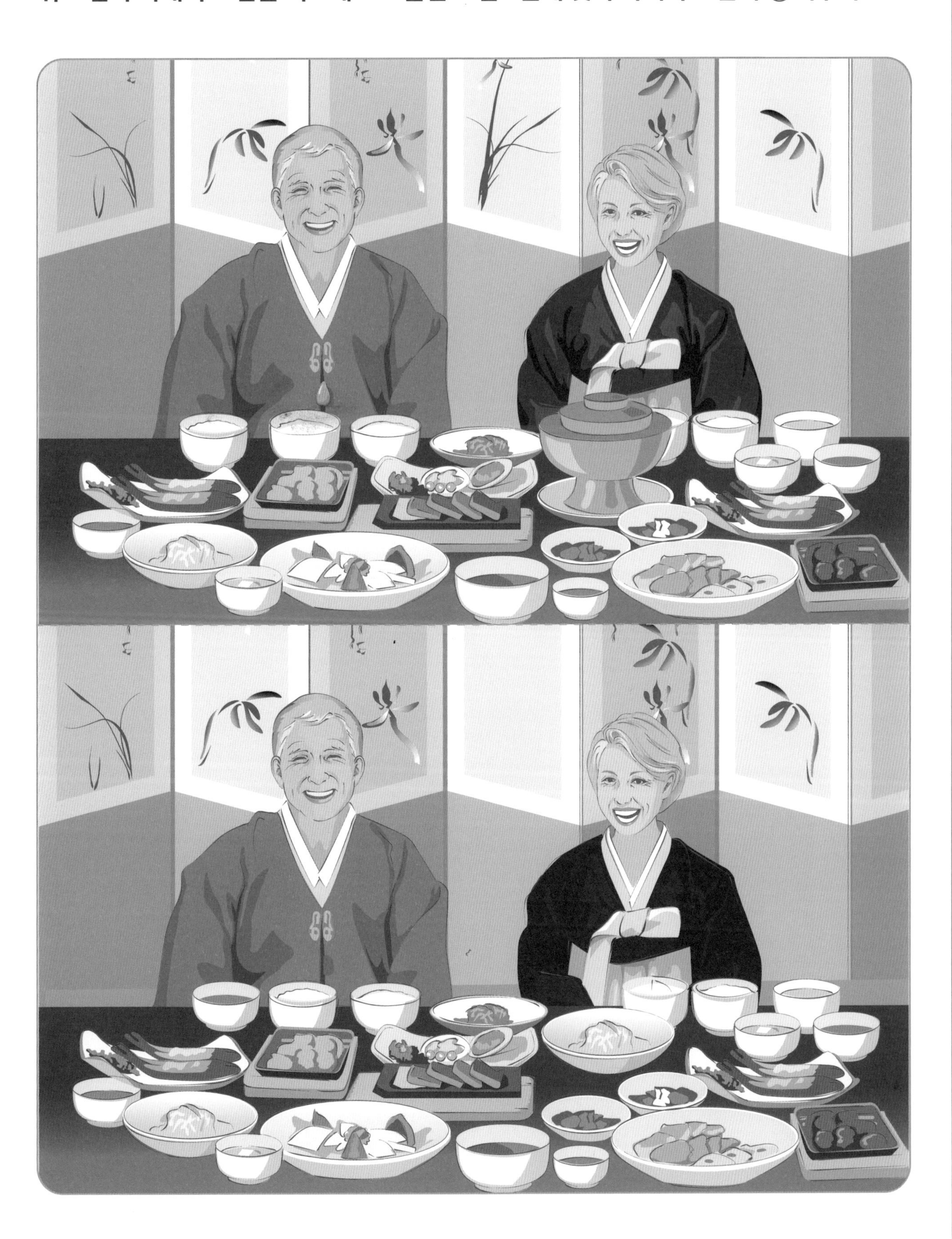

없는 장면 찾기

아래 마을 그림을 잘 보고 마을 그림에 없던 그림을 아래 보기에서 찾아 그림에 ◯해주세요.

빈 부분 채워 그리기

위의 그림과 아래 그림을 비교해 보고 아래의 그림에서 빠져있는 부분을 5군데 찾아 채워서 그려넣어 주세요.

끝말잇기 미로

1. 출발부터 시작해서 끝말잇기로 이어지는 단어를 찾아 맨 아랫줄까지 도착해보세요.

2. 단어 이름을 그림 아래에 적어 보세요.

화분 높이 순서 찾기

높이가 가장 높은 화분식물부터 가장 낮은 화분식물 순으로 1~6까지 순서대로 번호를 적어주세요.

워크북 03

치매예방을 위한 뇌훈련

실버인지놀이

오늘의
기억

오늘의 기억

년 월 일 요일 날씨

기상시간			
식사 시간	아침	점심	저녁
오늘 먹은 음식			
만난 사람			
방문한 곳			
오늘 입었던 옷			

사용한 돈	사용한 곳	금 액

기억에 남는 일	

오늘 나의 감정

오늘의 기억

년 월 일 요일 날씨

기상시간			
식사 시간	아침	점심	저녁
오늘 먹은 음식			
만난 사람			
방문한 곳			
오늘 입었던 옷			

사용한 돈	사용한 곳	금 액
기억에 남는 일		

오늘 나의 감정

오늘의 기억

년 월 일 요일 날씨

기상시간			
식사 시간	아침	점심	저녁
오늘 먹은 음식			
만난 사람			
방문한 곳			
오늘 입었던 옷			

사용한 돈	사용한 곳	금 액

기억에 남는 일	

오늘 나의 감정

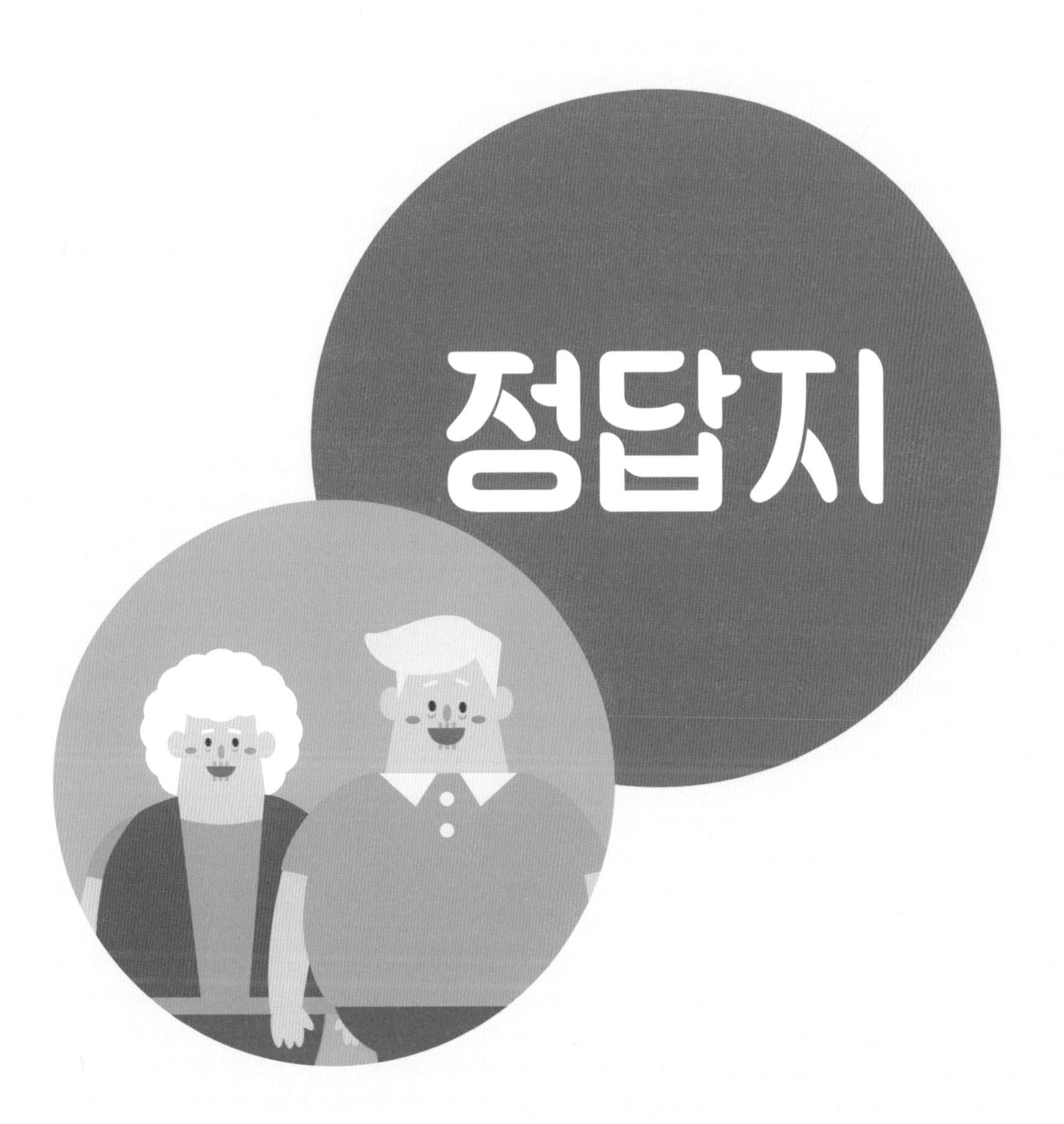
정답지

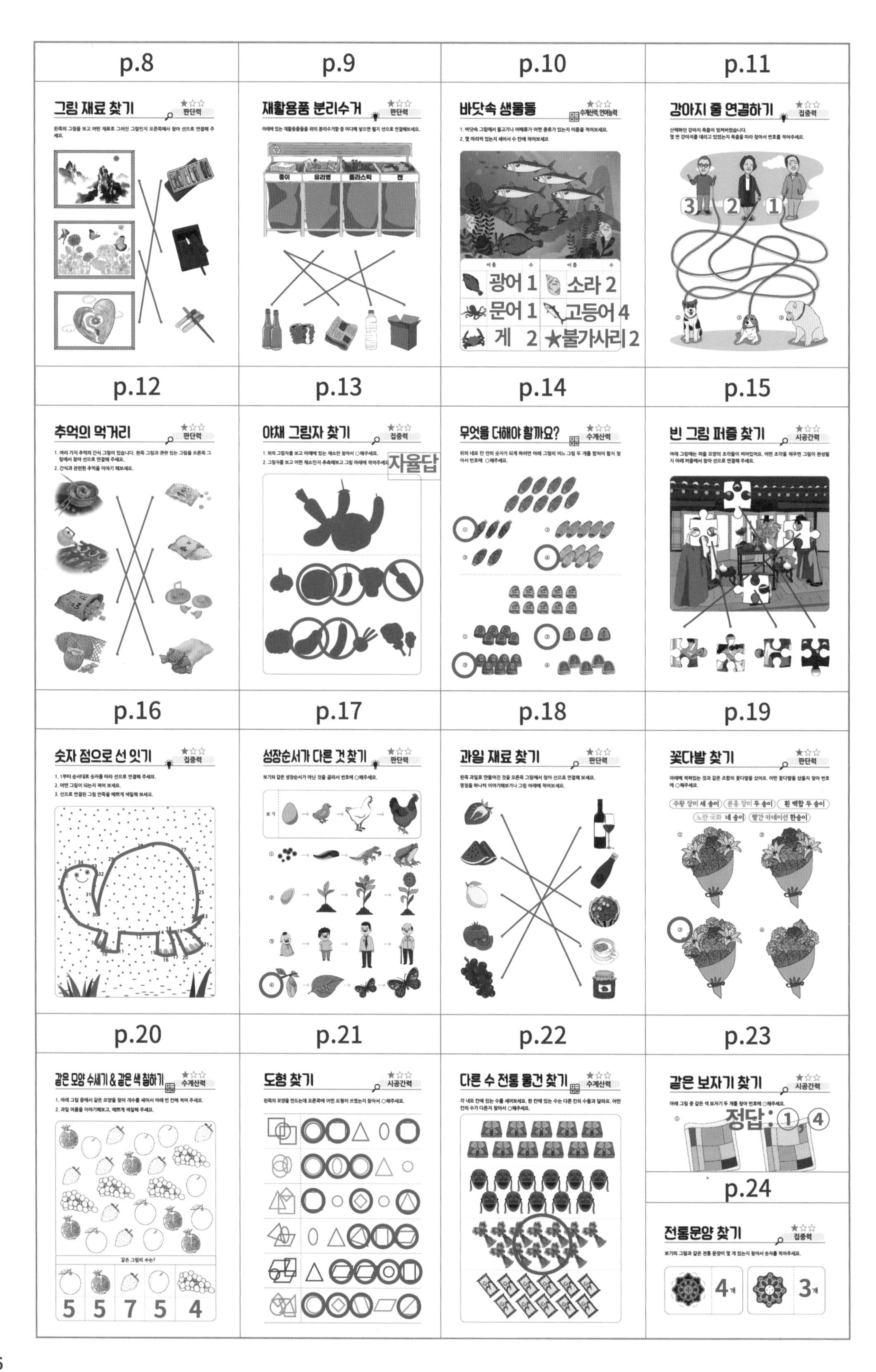
p.8
그림 재료 찾기
판단력
p.9
재활용품 분리수거
판단력
종이
유리병
플라스틱
캔
p.10
바닷속 생물들
수계산력, 언어능력
광어 1
소라 2
문어 1
고등어 4
게 2
★불가사리 2
p.11
강아지 줄 연결하기
집중력
3
2
1
p.12
추억의 먹거리
판단력
p.13
야채 그림자 찾기
집중력
자율답
p.14
무엇을 더해야 할까요?
수계산력
p.15
빈 그림 퍼즐 찾기
시공간력
p.16
숫자 점으로 선 잇기
집중력
p.17
성장순서가 다른 것 찾기
판단력
p.18
과일 재료 찾기
판단력
p.19
꽃다발 찾기
판단력
p.20
같은 모양 수세기 & 같은 색 칠하기
수계산력
5
5
7
5
4
p.21
도형 찾기
시공간력
p.22
다른 수 전통 물건 찾기
수계산력
p.23
같은 보자기 찾기
시공간력
정답: ①, ④
p.24
전통문양 찾기
집중력
4개
3개

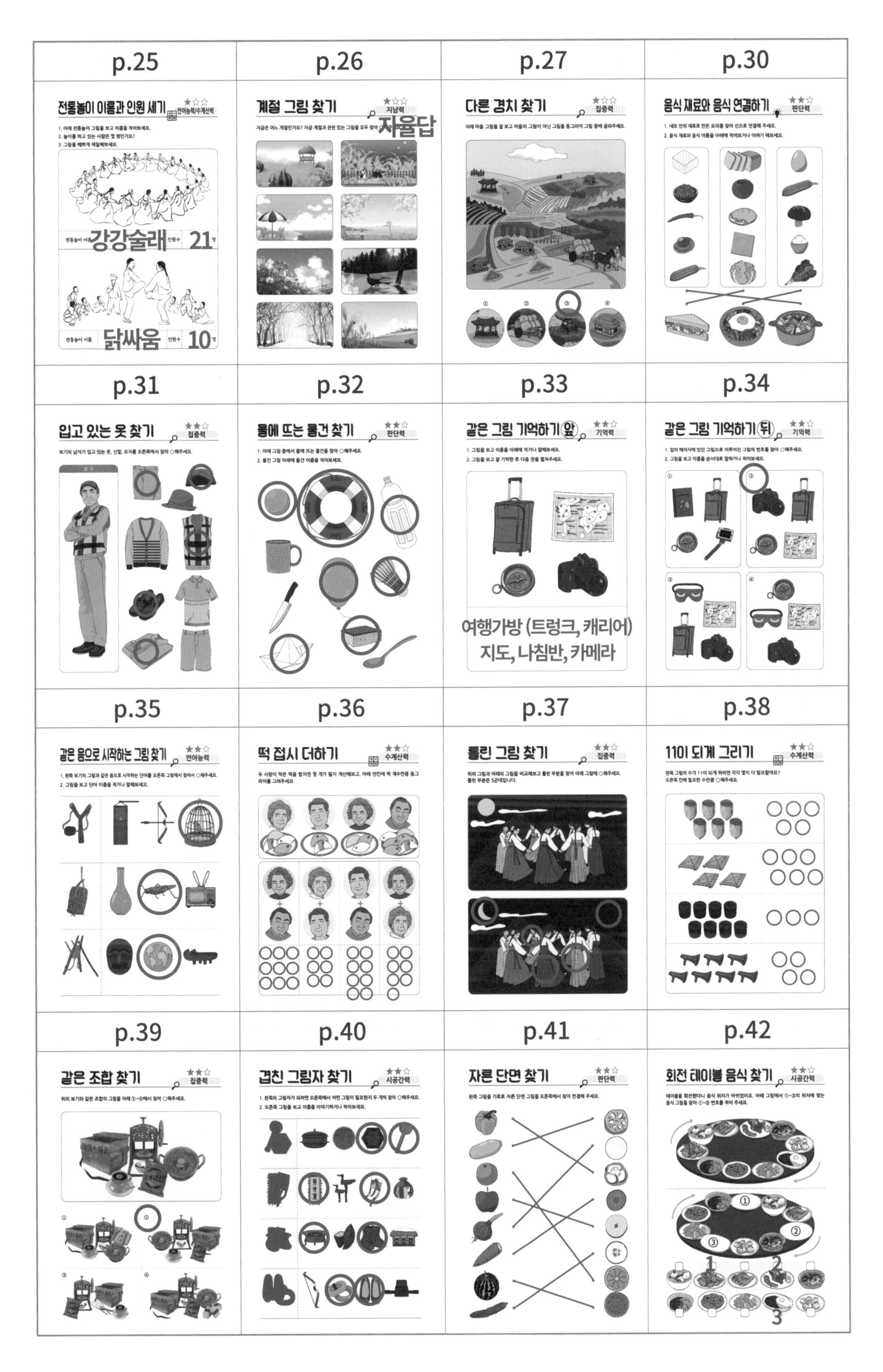
p.25
전통놀이 이름과 인원 세기
언어능력/수계산력
강강술래
21
닭싸움
10
p.26
계절 그림 찾기
지남력
자율답
p.27
다른 경치 찾기
집중력
p.30
음식 재료와 음식 연결하기
판단력
p.31
입고 있는 옷 찾기
집중력
p.32
물에 뜨는 물건 찾기
판단력
p.33
같은 그림 기억하기(앞)
기억력
여행가방 (트렁크, 캐리어)
지도, 나침반, 카메라
p.34
같은 그림 기억하기(뒤)
기억력
p.35
같은 음으로 시작하는 그림 찾기
언어능력
p.36
떡 접시 더하기
수계산력
p.37
틀린 그림 찾기
집중력
p.38
11이 되게 그리기
수계산력
p.39
같은 조합 찾기
집중력
p.40
겹친 그림자 찾기
시공간력
p.41
자른 단면 찾기
판단력
p.42
회전 테이블 음식 찾기
시공간력
1
2
3

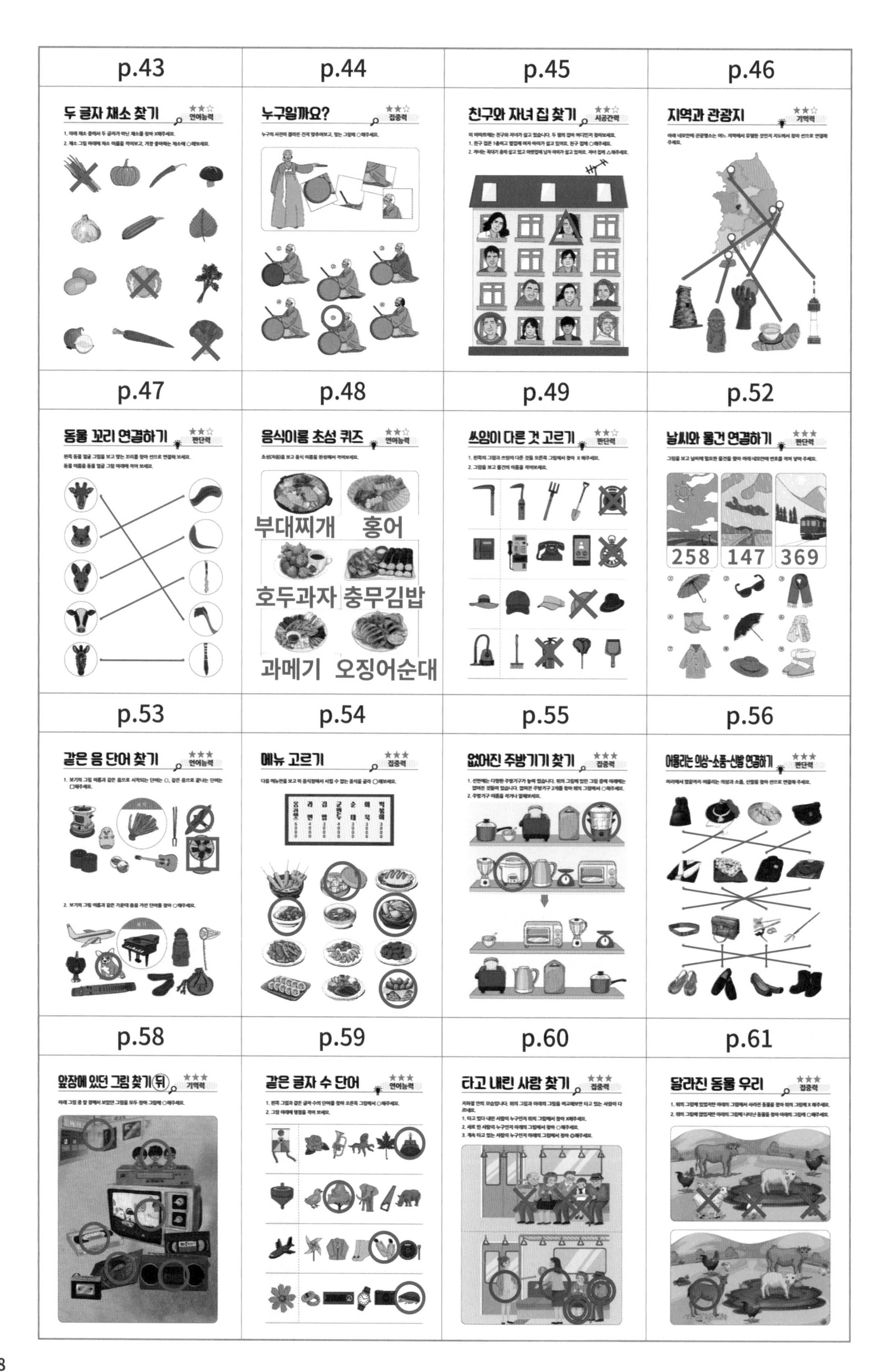
p.43
두 글자 채소 찾기
p.44
누구일까요?
p.45
친구와 자녀 집 찾기
p.46
지역과 관광지
p.47
동물 꼬리 연결하기
p.48
음식이름 초성 퀴즈
부대찌개
홍어
호두과자
충무김밥
과메기
오징어순대
p.49
쓰임이 다른 것 고르기
p.52
날씨와 물건 연결하기
258
147
369
p.53
같은 음 단어 찾기
p.54
메뉴 고르기
p.55
없어진 주방기기 찾기
p.56
어울리는 의상-소품-신발 연결하기
p.58
앞장에 있던 그림 찾기(뒤)
p.59
같은 글자 수 단어
p.60
타고 내린 사람 찾기
p.61
달라진 동물 우리

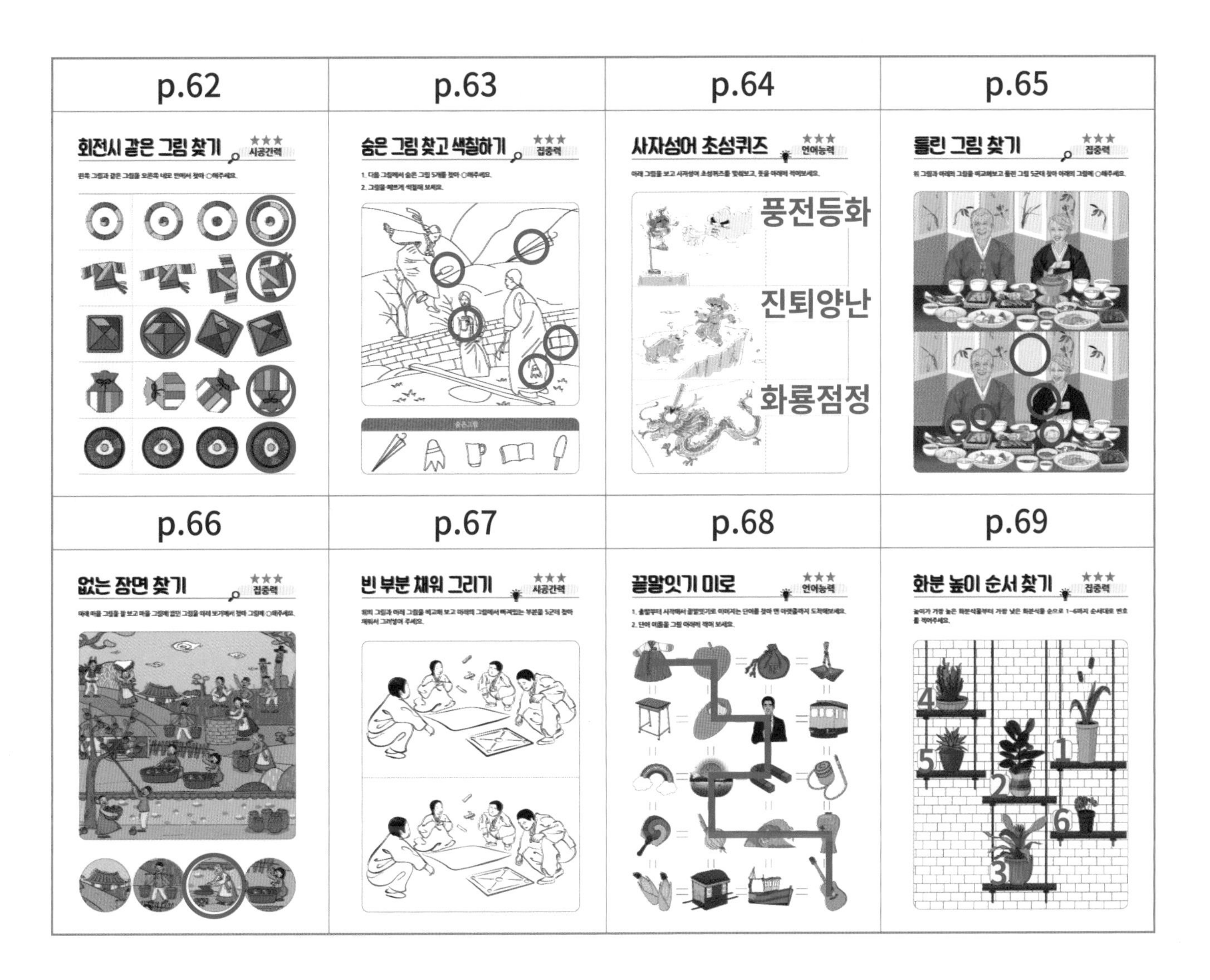

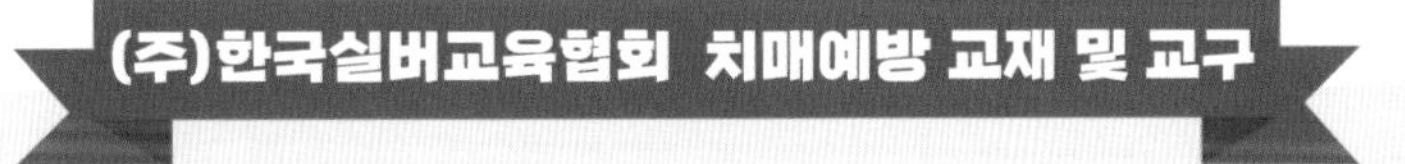

치매예방과 관리

실버인지놀이 워크북 01/02/03

추억 색칠하기+인지 워크북

자녀에게 남기는 인생 기록 부모 자서전

실버인지 속담놀이 워크북

추억의 퀴즈 테마 워크북 1/2

노인회상 이야기카드

추억놀이 회상카드

마음읽기 감정카드

전통 퍼즐

저/자/소/개

윤소영 on-edu@nate.com

건국대학교 교육대학원에서 학습•진로컨설팅 및 평가과정을 공부하며 유아에서 노인에 이르는 전 생애에 걸친 다양한 교육의 필요성을 더욱 절감하게 되었다. 현재 (주)한국실버교육협회 대표이사, (주)하자교육연구소 및 하자교육컨설팅 대표, 한국영상대학교 외래교수로 재직하면서 치매예방 및 노인을 위한 교재, 교구를 개발•보급하고 있다. 현재 장기요양기관 심사위원으로도 활동하고 있으며, 치매예방 온라인교육 플랫폼 인지넷을 운영하고 있다. 주요 저서로는 『치매예방과 관리』『치매예방을 위한 뇌훈련 실버인지놀이 워크북 01권, 02권』『치매예방을 위한 회상활동 추억 색칠하기+인지 워크북』『치매예방을 위한 회상활동 추억 색칠하기+인지 워크북 -추억놀이편』『치매예방을 위한 뇌훈련 실버인지 속담놀이 워크북』『치매예방 두뇌 트레이닝 추억의 퀴즈 테마 워크북 1권, 2권』『노인회상 이야기카드』『마음읽기 감정카드』『추억놀이 회상카드』『실전 전래놀이 운영 프로그램』『재미있고 실용적인 시니어 책놀이 운영 프로그램』『실버 인지미술 운영 프로그램』『자녀에게 남기는 인생 기록 부모 자서전』등이 있다.

치매예방을 위한 뇌훈련
실버인지놀이 워크북 03

1판 1쇄 발행 • 2020년 4월 1일
1판 12쇄 발행 • 2023년 6월 17일

지 은 이 • 윤소영
펴 낸 곳 • **(주)한국실버교육협회**
경기도 성남시 분당구 운중로 122 601호
디 자 인 • (주)경상매일신문 디자인사업국
대표전화 • 02-313-0013
홈페이지 • www.ksea.co.kr
www.injinet.kr
이 메 일 • ksea7777@daum.net
I S B N • 979-11-964859-8-6(03060)

정가 12,500원

이 도서의 국립중앙도서관 출판예정도서목록(CIP)은 서지정보유통지원시스템 홈페이지(http://seoji.nl.go.kr)와 국가자료종합목록시스템(http://www.nl.go.kr/kolisnet)에서 이용하실 수 있습니다. (CIP제어번호 : CIP2020011544)